日曜の言葉たち

日曜の言葉たち

福島申二
Shinji Fukushima

岩波書店

まえがき

長いあいだ新聞コラムを書いてきた者の習性でしょう、折々に出合う言葉をノートや紙切れに書きとめるようになって随分たちます。たとえば日本ではあまり知られていないポーランドの詩人、スタニスワフ・レッという人のたった一行の詩句もその一つです。

〈敵の顔を見てびっくりする、あんまり自分の顔に似ているので〉(長谷川四郎訳)

示唆に富む言葉だと思います。人間は、自分を否定してくる者と闘っているうちに、いつしか相手に似てくることがあります。口論ひとつにしても、売り言葉に買い言葉で互いに声は大きくなりがちです。言葉は魔物だから興奮すると止めどもなくインフレになり、相手も自分も同じようにに目をつり上げ、口をとがらせて、あげくに引っ込みがつかなくなる。

人と人だけでなく、左派と右派、国と国などにも同じことがいえるでしょう。一方でこの短詩には「互いに同じ人間どうしだと気づく」というヒューマンな含意もありそうです。

このように、一つの言葉が、それまで何となしに思っていたことに輪郭を与えてくれたり、連想を呼び寄せたりして、自分の考えにどんどんはずみがついていくことは、珍しいことではありません。わたしはかつてレッのこの詩句を借用して、アメリカの深刻な分断についてコラムを書いたことがありました。それは本書にも収録されています(八〇〜八三頁)。

今風に言えば「刺さる言葉」でしょうか。それらはコラムの書き手にとってと同様に、読む人にとっても、思考や想像の呼び水になってくれるものだと思います。

本書に収められているのは朝日新聞の朝刊三面に二〇一六年から二一年まで「日曜に想う」と題して掲載された、著者執筆のコラムから五〇本を選んだものです。

新聞の一面から三面あたりは「総合面」と呼ばれ、その日のもっとも重要なニュースを展開して緊張感がみなぎっています。そのような面のコラム集ですから、表紙のタイトルの「日曜の言葉たち」から想像されるよりも、テーマと内容はいささか重いかもしれません。

私感を申せば、日本の政治はこの間失望の連続でしたし、海の向こうでは「まさかの大統領」が世界を胃の痛くなるような思いに陥れました。さらには新型コロナウイルス感染症のパンデミックが文字どおり「経験したことのない」不安と苦境に私たちを追い詰めたのでした。

誰もが黙ってうつむきがちに小さな画面をのぞき込む光景は日常になりました。メリットもありますが、関心と無視、仲間と他者、共感と冷笑といった相反する感情が渦を巻き、人心と社会を険相にしています。「考える」のではなく「感じる」。そこから刹那《せつな》的な言葉が生まれ拡散していきます。人はすぐに集まるけれど、すぐにまた散っていく——そんな時代なのでしょう。

時代と切りむすびつつ、読む楽しみに供する。それが新聞コラムの本分だと思っています。刊行にあたってそれぞれのコラムに注釈とも余話ともいえる短章を新たに付記しました。言葉を想い、言葉で考える。そんなプロセスを共に歩んでくだされば幸いです。

目　次

II 虚と実のゆらぐ世界

付記

- 本書は、朝日新聞コラム「日曜に想う」二〇一六年四月から二一年三月までの著者執筆分全八六本より、五〇本を収録したものです。
- 各コラムに、新たに短章を加えています。
- 肩書は執筆当時のものです。
- 年号など必要に応じ［　］で補いました。

I

歴史から汲む

おお友よ、その調べにあらず

春樹ファンにとって秋は、好きで嫌いな季節かもしれない。ノーベル賞週間《ウィーク》が幕を閉じてファンからは今年もため息がもれた。今年〔二〇一六年〕の文学賞に選ばれたボブ・ディラン氏を祝福しつつ、きょうは時計の針を昔に戻して、七〇年前に賞を受けた人について書いてみたい。

ヘルマン・ヘッセ。このドイツ生まれの作家の名には、かつて青春前期の必読書の響きがあった。『車輪の下』『春の嵐』『郷愁』『デミアン』——ヘッセを読んだことを多感な時期のささやかな記念にしている人もいるだろう。平和への、静かだが折れぬ意思を抱き続けた人である。

一九一四年夏、欧州で第一次世界大戦が始まった。祖国の知識人や芸術家らは競うように戦争を賛美し偏狭な愛国心をかきたてた。ヘッセはそれを諌《いさ》めにかかる。きょうのこのコラムの見出しは、ヘッセが新聞に寄せた文の題(もとはベートーベン第九交響曲の歌詞の一節)を拝借した。

好戦と憎悪をあおる調べをやめよと訴える寄稿文は、「諸国民がはげしくいがみあい、毎日、無数の人が恐ろしい戦闘で苦しみ、死んでいく……」と重く書き出される(『ヘルマン・ヘッセ エッセイ全集』から)。だがこれらの良心的発言によってヘッセは、裏切り者、非国民といった悪罵《あくば》を一斉に浴びせられることになる。

勇ましい言説が満ちる中で、開戦後にヘッセがまず作ったのは「平和」と題する詩だった。

誰もがそれを持っていて
誰ひとりそれを尊重しなかった
そして誰もがその甘い泉に癒された
おお、今は平和の名が何と心にしみることか……　（島途健一訳）

それこそが彼の信じる「調べ」だったのだろう。ノーベル賞を受けたのは第二次世界大戦が終わった翌年。「敗戦国の作家」にもたらされた栄誉は、二つの世界大戦で平和擁護の姿勢をつらぬいた証しであると、手元の文献は教えてくれる。

ヘッセの時代から時は流れた。しかし人間の社会が、あるとき一つの色に染め抜かれる危うさは、消えていない。

たとえば9・11テロの後、国中の街に村に星条旗があふれかえったアメリカは、高揚感さえ帯びて愛国の空気に支配された。アフガニスタン、イラクの両戦争へ突き進む、それは序章のような光景だった。

二〇一五年、パリの週刊新聞社「シャルリー・エブド」が襲撃されたときにも、フランス社会は新聞社への連帯を表す「私はシャルリー」の標語に染まった。「わずかな疑いも表明することは不可能でした」とはフランスの学者エマニュエル・トッド氏の苦い回想である。

日本なら、昭和の終焉《しゅうえん》すなわち天皇の逝去をめぐる自粛の日々を思い出す。ひとり周囲とは違うことをする、ひとり違う意見を言うことが、いかに勇気のいるおこないであるかを、各地を取材しながら痛感させられたものだ。

つい先日も気になる光景を見た。国会での総立ちの拍手である。安倍晋三首相が領土、領海を守り抜く決意を述べ、任にあたっている海上保安庁や警察、自衛隊の諸君に「今この場所から、心からの敬意を表そうではありませんか」と呼びかけたのに自民党議員が一斉に起立して応じた。

どこかの国のようだ、とまでは言わない。しかし全体主義や、日の丸を振って若者を送り出した時代の記憶を、少なからぬ人の胸に呼び覚ましたのは事実だろう。自民党の議員は疑問を感じなかったのか、感じても口にできないのか。筆者の耳にはかろうじて、「ちょっとおかしい。自然じゃない」という小泉進次郎氏の弁が聞こえてきたのみである。

政治の中心からいま、同調圧力の不気味な空気が、日本中にどんよりと広がっている。機嫌をうかがうような上目づかいの自治体が増えていると聞く。政権を刺激しそうな市民主催の催しの名義後援を拒むケースが、各地で相次いでいる。

〈梅雨空に「九条守れ」の女性デモ〉の俳句が公民館の刊行物への掲載を拒まれたのは記憶に新しい。自由な表現や議論を封じる空気が蔓延《まんえん》するなら、時代はたやすく過去に逆流してしまう。

無論のことだが、ここまで述べてきたことはメディアにもはねかえる。私たち記者も「その調べにあらず！」をひとり叫ぶ良心と気概は失うまい。ヘッセの言葉のホコリを払って胸に畳みたい。ハルキストのため息と入れ替わるように、きのうから新聞週間が始まっている。

（2016・10・16）

ヘッセの寄稿文は大戦勃発から約三カ月後の一九一四年一一月にスイスの『新チューリヒ新聞』に掲載された。日本も同年八月にドイツに宣戦布告したが、ヘッセは文中、戦争によって「日本の美しい童話」などが嫌悪の対象となっている事態にも深い憂いを示している。出来の悪いドイツの本より出来のいいイギリス（敵国）の本を優れているとみなすのに、勇気がいるような社会であっていいのか、とも言っている。前線で戦う兵士には共感しつつ「私たち詩人、芸術家、ジャーナリストは、悪いものをさらに悪くし、醜いものや嘆かわしいものを増大させることが使命でありうるだろうか」と述べ、文化に奉仕する者が「ペンと舌」の戦争をエスカレートさせてはならないと説いている。

ディラン氏、そしてトランプ氏

いっとき音無しになり、さては受賞辞退かと気をもませたけれど、ボブ・ディラン氏がノーベル賞授賞式の晩餐会《ばんさんかい》に寄せたスピーチはよかった。本人は欠席して代読だったが、あのしゃがれた歌声が風にのって聞こえてくるような、よく心に届く飾らない謝辞だった。

キプリングやトーマス・マン、カミュやヘミングウェーら過去の文学賞受賞者の名をあげ、作品に親しみ、愛読し、吸収してきたと述べていた。そうか、ボブ・ディランの名曲のうしろには、こうした文学者たちのゆたかな世界が広がっていたかと、あらためて感じ入った。

ふと思い出したのは、過去の文学賞受賞スピーチにあったひとつの言葉である。

「もしもわれわれが支配者を選ぶときに、候補者の政治綱領ではなく読書体験を選択の基準にしたならば、この地上の不幸はもっと少なくなることでしょう。そう私は信じて疑いません」

旧ソ連出身でアメリカに亡命した詩人ヨシフ・ブロツキイが、一九八七年の受賞講演のなかで語っている（沼野充義訳『私人』から）。ユダヤ系の家庭に生まれ、祖国の政治によって辛酸をなめて故郷を追われた人だけに言葉には説得力が宿る。わたしたちは政治家の本棚にもっと関心を寄せるべきなのかもしれない。

そして、心配になるのは例によってトランプ氏である。かつて自伝執筆のために長く密着したゴーストライターによれば、大人になって一冊でも読み通したことがあるか疑問だという。ここにきてディラン氏の受賞は、様々な意味で図らずもトランプ大統領誕生へのアンチテーゼになっているように思われてならない。


ささやかゆえに忘れがたい記憶が、ディラン氏の歌にある。

二〇〇三年三月、アメリカはイラク戦争に突き進んだ。アメリカ駐在だった私は開戦直後、人々の声を聞くために取材の旅に出た。南部アラバマ州のセルマという町で教会に寄ったとき、かすかなハーモニカが聞こえてきた。「風に吹かれて」のメロディーだった。一九六〇年代、黒人が平等な権利を求めた公民権運動でさかんに口ずさまれた歌である。

セルマはその運動の聖地ともいわれ黒人が多く住む。話を聞いた教会の牧師は「仕事のない黒人は軍に志願するほかない者が多く、ここでは戦争に反対の人が圧倒的です。ハーモニカを吹いている人はきっと息子たち(アメリカ兵のこと)の無事を祈りたいのでしょう」と静かに話した。

米南部は六〇年代になっても差別が厳しく、「神が黒人を罰するために、白人とは違う姿にお造りになった」と言ってはばからない州知事さえいた土地だ。

それから時は流れたが、トランプ氏が勝利するや、重しがとれたかのように白人至上主義をうたうＫＫＫ（クー・クラックス・クラン）などの組織が気勢を上げ始めている。次期政権の中枢ポストの一つには差別発言で物議をかもす極右的人物の就任も決まっている。不穏な嵐の予感が漂いはじめている。

〈どれだけ長く生き続ければ　虐《しいた》げられた人たちは晴れて自由の身になれるのだろう……〉（訳詞・中川五郎）。マイノリティーと呼ばれる人々にいま、ディラン氏の「風に吹かれて」はどんなふうな音色で聞こえているのだろうか。

この一二月八日は日米開戦から七五年となる日だった。日本軍によるハワイ・真珠湾奇襲によって日系米国人は迫害を受けた。その体験を著書『荒野に追われた人々』に記した故ヨシコ・ウチダさんは、日本人という顔つきのために身の危険におびえ、周囲を恐れながら暮らしたつらさを述べている。約一二万という人が荒野の強制収容所に送られた。

だからパールハーバーにたとえられた9・11テロが起きると、日系市民は中東系の人々への迫害を心配した。案の定、憎悪がうねった。移民が射殺されイスラム教徒が嫌がらせを受けた。そんなときに全米日系市民協会の幹部が語っていた言葉が心に残る。

「何をすべきかはすぐ分からなくても、何をすべきでないかは歴史が教えてくれる」

トランプ次期大統領に言いたい。「したいこと」より、まず「すべきでないこと」を学ぶべきであろうと。自己陶酔型で独善的な権力者が全能感に高揚するほど怖いことはない。それも二〇世紀の歴史がいやというほど教えてくれる。

（２０１６・１２・１８）

受賞スピーチのなかでブロツキイ（一九四〇―九六）は言っている。芸術や文学、とりわけ詩は人間に一対一で話しかけ、仲介者ぬきで人間と直接関係を結ぶ。だから「（強権的な統治を欲して）全人類の幸福を熱烈に擁護する者や、大衆の支配者、歴史的必然の宣伝者たちに嫌われるのです」と。つまり芸術は、個々が独自な、二つとない存在であるという感覚を持つように人間を鼓舞するのだと言う。ちなみに、ほとんど本を読まないらしいトランプ氏が好きな一冊として挙げているのがレマルク著『西部戦線異状なし』だと二〇一六年の米誌『ニューヨーカー』が伝えていた。第一次大戦の前線で消耗品のように斃《たお》れていく兵たちから何を汲み取っただろうか。戦争の実相と不条理を描いた名作を、ただ面白く読んだだけとは思いたくないが。

満開の桜と城山さんの気骨

演歌のいいところは、同調を強要しないことだろう。例外もあるかもしれないが演歌に斉唱は似合わない。

〽お酒はぬるめの燗《かん》がいい　肴《さかな》はあぶったイカでいい……

たとえば八代亜紀さんの「舟唄」など、独りの低唱こそ似つかわしい。国歌や社歌のように人を束ねる作用はないし、軍歌のように拳《こぶし》を振って士気を鼓舞《こぶ》する曲でもない。

「個」を消してしまうような歌は苦手だと言いながら、カラオケに誘われると軍歌を歌っていたのが作家の故・城山三郎さんだった。すすんでではない。ほかに知らなかったからだ。歌いながら、若くして死んでいった者への哀惜《あいせき》にぽろぽろ涙をこぼしたという。城山さん自身も海軍の特攻要員だった。

忘れ得ぬ体験を文学の原点として、戦争と人間を見つめた気骨の作家が世を去って、この三月二二日で一〇年がたった。

一度だけ話をうかがう機会に恵まれたのは、亡くなる前年の早春のことだ。桜の季節を前に

「散華《さんげ》の花」への思いなどをお聞きした。かつて、ある絶対的な価値観を伴って日本人を束ねたその花について、城山さんは「いまだに気楽に眺められない。満開の横を通るときはつい早足になってしまう」と訥々《とつとつ》と話した。

そんな城山さんから、桜への思いに通じるところがあると言って教えられたのが「旗」と題するご自身の詩である。

旗振るな／旗振らすな／旗伏せよ／旗たため
社旗も　校旗も／国々の旗も／国策なる旗も／運動という名の旗も
ひとみなひとり／ひとりには／ひとつの命……

昭和の戦争で、おびただしい命を戦場に散らす象徴の役を担わされたのが桜だった。旗もまた、使われ方しだいで個を消す装置と化してしまう。だから油断がならないのですよと、過去を振り返るように城山さんは言葉をつないでいた。

城山文学の深部には、「暖い生命を秤売《はかりうり》する」（別の詩の一節）ように人間をひとからげに軽んじた戦争指導層への憤りと、苦難の時代を引き受けて命を散らしていった名も無き個々への畏敬《いけい》が、複雑な二枚潮《にまいじお》となって流れている。

没して一〇年。「戦争で得たものは憲法だけだ」と語っていた城山さんが健在なら、憲法をめぐる今の状況をどう見るだろうと想像する。この間に自民党は、現行憲法一三条の「すべて国民は、個人として尊重される」の「個人」から「個」を取り去って「人」に変えるといった、復古色の強い改憲草案をかかげている。

現行の憲法は、個性や考え方の違いを尊重し、どう生きるかを個人にゆだねている。それはまた、「個」を「全体」が吸い上げる国には二度とならないという決意でもあり、歯止めでもあろう。「個」というたった一文字の削除ながら、いわば演歌が国歌に変容するほどに、もたらされる違いは大きい。

今年も桜の季節が巡ってきた。

桜ほど日本人から様々な思念やイデオロギーを託された花はない。国家主義的な哲学者で戦前の東大教授だった井上哲次郎は大意こんなふうに述べている。

「一つの花より一枝の花の集合体、一枝よりは一樹、一樹よりは全山の花の集合体の方が美しい。これは日本民族の長所が個人主義にあるのではなく、団体的活動にあるのを表現して余りある」。このくだりは昔の教科書にも載っていた。

憲法施行から七〇年。おびただしい犠牲と反省の末に封印したものへの郷愁が、ここにきて急に濃度を増しつつあるようだ。そうした復古の上げ潮に乗るように、自衛隊員の命をあずかる防衛大臣が「教育勅語」を国会で平然と擁護するのが、今という時代である。

「自由に生きるとは、これほど清々《すがすが》しく、心ときめくものかと、涙のにじむほど嬉しく感じた」

と、城山さんは終戦の夏の感慨を残した。その自由を長く当たり前のように享受したあげく、むしろ居心地よく束ねられたい欲求が、私たちの中から湧きだしてはいないか。古い価値観や体制へ戻るタイムマシンのような保守政治への支持はここにきて高い。

遠い記憶にまで根を伸ばす桜に、忘るべからざるものは何かを聞きたい春だ。

（２０１７・３・２６）

城山さんは「桜花」についてよく話し、書いた。昭和の戦争末期に使われた特攻機のことだ。爆撃機に搭載されて敵艦付近上空で切り離される。着陸する車輪さえなく、体当たりだけを目的に作られた兵器だった。あるとき訪ねた米国の航空博物館で城山さんは実物を見る。あまりにも狭い操縦席に胸を締めつけられた。ここへ身体を折りかがめるようにして乗り込み、兵器と一体になって死んでいった若者たちがいたのである。お会いしたときに、「行かせた者は許せませんよ」と目をしばたかせていた。「旗」は、初の詩集だった『支店長の曲り角』（一九九二年）所収。刊行当時に城山さんは「僕は、戦後の日本の理想は百人が百様の行き方をすることだと思う」と語っている。

「平和の扇動者」は古びない

カギ十字ほどではないけれど、ファシズムの時代を想起させるものの一つは鼻の下のチョビひげだろう。

ゆえに世界中で、人々はしばしば気にくわない為政者の写真にあのチョビひげを書き加える。するとたちまちある種のイメージをまとうのだから、死してなおヒトラーの残像は恐ろしい。

そのヒトラーの絶頂期に、敢然とファシズムに立ち向かったもう一人のチョビひげがいた。喜劇王のチャプリン。ヒトラーを痛烈に笑いとばした名作「独裁者」を作るに至る憂いを、自伝のなかでこう回想している。

「戦争の気配がふたたびただよいだした。ナチスが隆々と伸びていた。それにしても、第一次大戦とあの死の苦しみの四年間を、なんと早く忘れたものか」（中野好夫訳）

トレードマークのチョビひげを武器に独裁者と町の床屋の二役を演じ、両者が取り違えられるストーリーは、巨大で恐ろしく見えるものの姿を矮小《わいしょう》にし、権威をはぎ取って滑稽《こっけい》さや馬鹿らしさをあばく。あらためて映画をみると、現実より五年早くヒトラーとファシズムの敗北を予告したかのような洞察に脱帽せざるをえない。

その喜劇王の今年［二〇一七年］は没後四〇年、きょうは生誕一二八年の日である。

「独裁者」の制作にはナチスの妨害だけでなく、ドイツを刺激したくない他の方面からも圧力がかかった。「スクリーンを蜂の巣にする」といった不気味な脅迫も相次いだ。しかしニューヨークで上映されると連日の大入りとなる。

八〇年近くを経た今も心に響いてくるのはラストシーンの名高い演説だ。中野好夫の名訳を抜粋して拝借する。

「わたしたちは、他人の不幸によってではなく、他人の幸福によって、生きたいのです。憎み合ったり、軽蔑し合ったりしたくはありません」

「（地球の）大地は豊沃《ほうよく》で、すべての人間を養うことだってできるのです」

「独裁者というのは、自分だけは自由にするが、人民は奴隷にするのです」

「世界の解放のために戦おうではありませんか――国と国との障壁を毀《こぼ》ち――貪欲《どんよく》や憎悪や非寛容を追放するために」

チャプリン自身が練りに練った渾身《こんしん》の演説を、映画史上最も感動的なせりふという人もいる。

一方で、言葉が胸にしみるのは、おびただしい理不尽が今も地上から消えない証《あか》しでもあろう。

深刻が極まるシリアでは、今世紀最大の人道危機とされる内戦で三〇万人が落命し、数百万という人が難民となって流浪《るろう》する。古今の独裁者の例にもれず、アサド大統領は自分が生き延びることしか頭にないのかもしれない。東アジアに目を向ければ北朝鮮の独裁者は飢える民をよそに、なけなしの国力を核やミサイルにつぎ込んで体制の維持を図る。

独裁国でなくても、一日を一・二五ドル未満で暮らす極度な貧しさに今も世界で八億人があえぐ。小学校に通えない子は五六七〇万人、五歳までに亡くなる子は年に六〇〇万人。政治的にも経済、社会的にも「他人の不幸」は地球上に満ちている。天の采配《さいはい》ひとつで自分がそうであったかもしれないというまなざしを、私たちは持ち得ているだろうか。

戦後になって、チャプリンはユーモアをまじえて自らを「平和の扇動者」と称したそうだ。その作品と人生は、排他と非寛容、貪欲と憎悪にむしばまれてやまないこの世界への絶えざる問題提起でもある。ゆえにいつも新しい。悲しむべきか古びている暇などない。

では、もう一人のチョビひげはすっかり過去に葬られたのだろうか。

NHKスペシャル「新・映像の世紀」がヒトラーが自殺の直前に語ったという言葉を伝えていた。「（ナチズムは私と共に消滅するが）一〇〇年後には新たな思想が生まれるだろう。宗教のように新しいナチズムが誕生するだろう」

不気味な予言だ。しかし欧米で起きているポピュリズムへの傾斜、喝采《かっさい》を見ると、それを妄言ともいえない空気が時代を包みつつあるかに思われてならない。

歴史に学べば、なにごとも始まりの小さな芽の中に結末が包摂されているのに気づく。むろん他国だけの話ではない。

（2017・4・16）

チャプリンはこの六分の演説を練るのに約二カ月を費やしたという。名高いリンカーンのゲティズバーグ演説（約三分とされる）に並べる人もいる。しかし自伝によれば、映画の公開当初、大多数の批評家はこの演説に否定的で、作品に合わないなどとくさした。ところが大衆のほうは全体に好意的で、ずいぶんすばらしい称賛の手紙をもらったという。結果的に大衆の感性が批評家たちより正しかったことになる。このエピソードにふと、作曲家シベリウスがこんなことを言っていたのを思い出す。「批評家が何と言おうと気にしないことだ。これまで批評家の銅像など、建てられたためしがない」。大衆は偉大なり。ただしヒトラーを熱烈に支持したのも大衆だったが。

今はまだ岸辺を漂う笹舟が

江戸の川柳に〈足おとで二ツに割れるかげぼうし〉というのがある。うまいなあと思う。恋仲のふたり、月夜の逢い引きだろうか。人目を忍んで寄り添うところへ誰かの野暮な足音が聞こえ、はじかれたように体を離す。

しかし別の解釈もあるなとふと思ったのは、いわゆる「共謀罪」法案からの連想だ。二人は実は、何かあやしいひそひそ話をしていたのかもしれない。そこへ人の気配を感じて――。つまり、そうしたことだけで「ご用」となりかねない危うさを、この法案［二〇一七年六月成立、七月施行］ははらんでいる。

川柳を持ち出したのは当方といささか縁があるからで、本紙の朝日川柳欄の選者を先輩の選者と二人で務めている。毎日一五〇〇前後の投句を頂戴するから、選外の句にも捨てがたいものがある。最近多かった共謀罪がらみの句から紹介すると。

私までは及ばぬものと共謀罪
観劇にオペラグラスも憚《はばか》られ

党内に治安維持法あるような
　思い出しておくれと多喜二鶴彬《つるあきら》

一句目は、自分は関係ないと無関心でいても、いつ捜査の対象外の「一般人」ではなくなるかもしれない法案の危うさをうがつ。二句目は法務大臣の「花見か、それともテロの下見か」の珍答弁を風刺している。三句目は、安倍色に染まって内部から異論も疑問も出ない「自由民主」党を痛烈に皮肉っている。

そして四句目。戦前の社会を締め上げた治安維持法の犠牲になった作家小林多喜二と川柳人の鶴彬の名には、忘れてはならない歴史の教訓が張りついている。

鶴彬の本名は喜多一二《かつじ》といい、小林多喜二に字面《じづら》が似ているのは不思議な因縁だ。カーキ色の時代に立ち向かうように川柳を作り、二九歳で獄死した生涯は、有志の寄付などで映画にもなり、作品も知られるようになってきた。

屍《しかばね》のゐないニュース映画で勇ましい
　銃剣で奪った美田の移民村
　初恋を残して村を売り出され

二句目は旧満州への開拓入植、三句目は娘の身売りである。「日本に向かって『この道を行くべからず』と叫び続けた人だった」と、映画を作った神山征二郎《こうやませいじろう》監督からお聞きしたことがある。

戦前の治安維持法は、成立すると可能な限り拡大解釈された。解釈が限界を超すと改悪が図られた。「不当に範囲を拡張して無辜《むこ》の民にまでは及ぼさない」と言って生まれた法がおそるべき怪物と化していく中で、おびただしい理不尽と悲劇が起き、戦争で国は破滅した。

「はじめにおわりがある。抵抗するなら最初に抵抗せよ」と朝日新聞の大先輩で反骨のジャーナリストだった故・むのたけじ氏は言っていた。真を射る言葉は苦い昭和の体験に根ざしている。

今の共謀罪をただちに治安維持法の再来とは言えないだろうし、当時とは司法や社会のありようも違う。とはいえ相似形なのは疑いようがない。

泳げぬ者が海に落ちたような法務大臣答弁のしどろもどろこそが、この法案がいかに曖昧《あいまい》で、恣《し》意的に拡大解釈されうるかを物語っている。犯罪者を捕らえるというより、捕らえたい者を犯罪者にする道具になりかねない。「テロ対策」「東京五輪」などと反論を封じやすい言葉に護衛されて、危うい卵は参議院に送られ、産み落とされようとしている。

笹舟を岸辺から浮かべると、しばらくはくるくる辺りを漂っているが、ひとたび川の流れに乗ると一気に下っていってしまう。今の安倍政権になって、特定秘密保護法や集団的自衛権を含む安保法が相次いで成立した。そして今度は共謀罪である。さらに三年後の憲法改変の旗を揚げ、政権は自らの望む「国のかたち」への作り替えを急ぐ。

「平和安全法制（安保法）の時、戦争法案って言われた。特定秘密保護法が成立する時、自由がなくなると言われた。二年経って、何も変わらない」と菅義偉《すがよしひで》官房長官が先日語ったそうだ。すぐ目に見えて変わるものなら分かりやすい。本当に怖いのは、共謀罪にしても、確かな自覚症状のないままにこの国を深いところから蝕《むしば》んでいくことだ。

いまはまだ岸辺を漂っている日本という笹舟が、あるとき一気に戻れぬ流れに乗ってしまわないか。不安は膨らんでいく。

（２０１７・５・２８）

獄死した鶴彬を最後まで見守り、支えたのが井上信子だった。川柳家・井上剣《けん》花坊《かぼう》の妻で、没した夫を継いで川柳誌の発行人になった。治安維持法が日本社会を締め上げた時代に、鶴の名高い〈手と足をもいだ丸太にしてかへし〉など多くの反戦句をひるむことなく載せ、自身もたびたび弾圧に遭《あ》っている。神山監督の映画「鶴彬　こころの軌跡」では樫山文枝《かしやまふみえ》さんが好演した。信子は自分でも句作し、日米が開戦する前年には〈国境を知らぬ草の実こぼれ合ひ〉と詠んでいる。世界が戦時色に染めあがっていた時代、どこかジョン・レノンの名曲「イマジン」を先取りするような、しなやかできっぱりした平和への意志が感じられないだろうか。もっと知られてほしい人だ。

暗黒の井戸から汲むべきは

「ヒトラーは儲《もう》かる」という趣旨のエッセーを昔、開高健《かいこうたけし》が書いていた。賛美しているわけではない。たとえばチャーチルやスターリン、ルーズベルトやドゴールといった人物がいる。いずれも知られた二〇世紀の巨頭だが、だれもヒトラーほどに、繰り返しあの世から呼び戻される「人気」を持っていないようだと、作家は考えをめぐらす。

そして、「嘲罵《ちょうば》され、憎悪されつつもヒトラー一人がいつまでたってもおびただしい数の人びとを映画館や書店にひきつけてやまない磁力の持主であるらしいのはどういうわけだろうか」と問う。四〇年も前に書かれたエッセーは、今の時代にもそのままあてはまる。

繰り返し呼び戻されるのは、比べようのない負の遺産ゆえだろう。

ある人は忌むべき過去と真摯《しんし》に対話し、ある人はこわごわ覗《のぞ》き込み、実に大勢がヒトラーという暗黒の井戸から何かを汲んできた。

最近も映画が次々と作られている。その一つ、公開中の「ヒトラーに屈しなかった国王」を見た。北欧ノルウェーでナチスの侵略に抵抗した国王の苦悩と決断を描いて、重く迫るものがあった。張りつめた映像を追いながら胸に浮かんだのは、その国の首都オスロで先日あったノーベル平和賞の授賞式である。

式典でのサーロー節子さんのスピーチはよかった。ひとりの被爆者が、核廃絶をはばむ巨大な「怪物」に向けて、研ぎ上げた言葉の矢をひるむことなく撃ち込んだ印象があった。

サーローさんは、今年［二〇一七年］の平和賞を受けた国際NGO「核兵器廃絶国際キャンペーン」（ICAN《アイキャン》）とともに発言を続けてきた。

「今夜、私たちはたいまつをともしてオスロの街を行進し、核の恐怖の闇夜から互いに抜け出しましょう」。最後にこう述べると拍手は鳴りやまなかった。

一二月のオスロは毎年、平和賞のホスト都市の役をになない、心に響く数々の受賞スピーチを世界に届けてきた。その街がかつてナチスの軍靴に踏みにじられたという、日本人にはなじみの薄い苦難の歴史を「国王」の映画は教えてくれる。

中立国だったノルウェーは五年にわたって占領された。調べてみると、第二次世界大戦が始まった一九三九年から四三年まで平和賞は空白である。四四年の賞は四五年に戦争が終わったあと、さかのぼって赤十字国際委員会に贈られた。

想像したくもないが、今の時代にノーベル賞が中断するほど世界が混乱するとしたら、いかなる事態が起きたときだろう。核を持つ国を指してサーローさんが式典で述べた一節が頭をよぎる。

「都市を焼き尽くし、地球の生命を破壊し、この美しい世界を将来世代が住めないようにすると脅し続けています」

アメリカと北朝鮮のトップは激しい言葉で互いの敵愾心《てきがいしん》をあおりあう。愚かしい人間の破壊衝動が広島、長崎に次ぐ核使用をもたらし、人類をこなごなに砕いてしまう不条理が、ここにきてにわかに緊迫の度を増している。


映画に沿って当時を振り返れば、攻め入った軍事大国ナチス・ドイツとノルウェーは、さしずめ猛獣と野ウサギのようなものだ。しかし降伏要求を国王ははねつけた。相手は強大で自分は小さい。それでも自らの正しさに信を置く。その姿勢にはノーベル平和賞というものの存在意義と、一つのエッセンスを見る思いがする。

今年の夏には核で武装する大国と対峙《たいじ》する形で、核を持たない一二二カ国が核兵器を違法とする禁止条約を採択した。それを主導してきたのがＩＣＡＮである。

二〇一七年もあと一週間となった。

今年は米国のトランプ政権誕生に始まり、北朝鮮問題がキリキリと緊迫した。トップ級から小物まで、排除と差別、分断と憎悪をあおって喝采を浴びる政治スタイルがいっそう地上に蔓延した年として後世に記録されるかもしれない。

振り返ればヒトラーも、民衆を絶えず刺激して負の情念の大動員をやった政治家だった。「歴史とは現在と過去との対話である」という名高い至言に照らすなら、あの人物とナチスの時代を描く映画や書物から汲むべきものは尽きない。

今の日々をなにごとかの「前夜」にしない意志とともに、年をまたぎたい。

（２０１７・１２・２４）

「あなたは『わが闘争』を読んだことがありますか？　本当のところ、あれはいままで政治家によって書かれた本のなかで一番正直な本です」。英国出身の詩人、Ｗ・Ｈ・オーデンの言葉だと、朝日新聞の先輩記者だった故・小池民男さんの著作に教わった。これもむろん称賛ではない。悪名高い本を書いたヒトラーだけではなく、人間という存在の奥底で仄《ほの》めく「魔的」なものへの、きびしい皮肉であり深い洞察であろう。オーデンのこの言葉あたりに、開高の難しい「問い」に対するいくばくかの答えが含まれているように思われる。扇動家ヒトラーは、今から君らをだましてやるぞと手の内をさらしてから、白昼堂々と犯罪をやってのけたようなもの――とは開高の弁である。

フランケンシュタインは再び

世界でもっとも有名であろうあの怪物は、ある夏の、スイス・レマン湖畔の雨続きの天候から生まれた。

湖畔に滞在していたのは、名高い英詩人のバイロン、同じく「冬来たりなば春遠からじ」の詩句で知られるシェリーと夫人になるメアリーたちだった。雨に閉ざされる日々に飽きて、退屈しのぎに「一作ずつ怖い物語を書かないか」と言い出したのはバイロンだったらしい。

それをきっかけに、まだ一八歳だったメアリーが筆を起こし、ほぼ一年がかりで『フランケンシュタイン』を書き上げたのは、英文学史上に知られたエピソードだ。その翌年の一八一八年一月に出版されているから、あの怪物が世に出てから今年でちょうど二〇〇年になる。

フランケンシュタインとは怪物の名ではなく、生命を操る好奇にかられて怪物をつくりだした科学者の名である。自分が生命を与えた人造人間に追いつめられて、ついには落命してしまう。

メアリーの生きた時代、科学はめざましい進歩を見せ、技術の発展は産業革命をもたらした。そうした近代社会を背景に、この小説は、最高の知性が最悪のモンスターを生むかもしれない不安や、生命をめぐる倫理のゆらぎを暗示して今日的だ。久しぶりに手に取ってみると、古びるどころかますます深い読み方を求めてくる。

あらためて読み直してみたのは、先月の下旬、本紙に載った一枚の写真にふと不気味さを覚えたからだ。クローンのサルが二匹、抱き合うように写っていた。中国科学院のチームが体細胞から誕生させることに成功したという。羊や牛などでは前例はあるが霊長類では初めてだと記事は伝えていた。

羊や牛とは違って顔つきや四肢が人間に似ているうえ、表情まで分かる。不安そうに見開いた大きな目には何が映っているのだろう。踏み込んではならない禁断の領域にまた一歩近づいたようで、微《かす》かなおののきが脳裏をかすめた。

英国でドリーという名のクローン羊が誕生したのは一九九六年だった。世界は衝撃を受け、「この羊のような人間をつくってはならない」などと倫理面の線引きが慌ただしく進んだ。日本でも禁止する法律ができた。それから二〇年あまりを経て、原理的には人間にも応用できるレベルまで技術は進んできたようだ。

二匹のサルは「中華」から一字ずつ取って「中中《チョンチョン》」と「華華《ホワホワ》」と名づけられた。中国科学院の幹部は会見で「クローン人間をつくるのが目的ではなく、人類の健康や医療に貢献するため」だと述べていた。とはいえ、こうしたきわどい既成事実を重ねていくうちに、中国に限らず、いつかどこかで禁断の鍵が外れてしまうことはないのかと不安は残る。

「人間の不安は科学の発展から来る」と、夏目漱石が大正期の小説『行人《こうじん》』の作中人物に語らせている。そして「進んで止《とど》まる事を知らない科学は、かつて我々に止まる事を許して呉《く》れた事がない」「何処まで伴《つ》れて行かれるか分からない。実に恐ろしい」と危ぶむ言葉が続いていく。百年余の歳月をへて、いよいよ現実味を帯びる一節である。

内閣府の去年の世論調査をみると、科学技術の発展で不安を感じる分野として「クローン人間を生み出すこと、兵器への利用などに関する倫理的な問題」をあげた人の割合は、七年前と比べて減ることなく増えていた。

「兵器への利用」というのは人工知能(ＡＩ)を搭載し、自律的に敵を認識して殺すロボット兵器などへの不安であろう。新たな可能性を広げる一方で人間を従属させかねない人工知能への戸惑いや不安も、昨今急速に広がっている。

「フランケンシュタイン・コンプレックス」という言葉があって、人間が自ら作りだしたものにおびえる心理を言うそうだ。そうした科学・技術の危うさへの警句として響くのは、フランケンシュタインならぬアインシュタインの言葉であろう。天才物理学者はこう語っている。

「人間自身とその運命への関心が、つねに、あらゆる技術的努力の主たる関心でなくてはなりません。……私たちの頭の創造物が人類にとって呪いではなく恵みになるようにするためです」

しかし皮肉なことにこの言葉から一四年後、アインシュタインの理論を原拠とした原子爆弾が広島と長崎で炸裂《さくれつ》する。

天才の言葉は人間の「賢と愚」を不気味に深く照らし出している。

（２０１８・２・４）

およそ科学・技術の発達には恩恵と弊害の両刃がある。「科学は一つの問題を解決するのに、いつも一〇の問題を新たに作りだす」と皮肉屋の劇作家バーナード・ショーは言った。一九三〇年にロンドンでアインシュタインを招いたディナーのスピーチの言葉だといい、ノーベル文学賞受賞者がノーベル物理学賞受賞者に投げたアイロニーとして一面の真を突く。アインシュタインはどんな顔で聞いただろう。一方、右のコラムにあるアインシュタインの警句は、その翌年に米国で「科学と幸福」として語られた際の言葉である。生命科学やＡＩなど、人類の大きな希望であるものが未知のモンスターでもありえるという背反を思えば、どちらの言葉も永久に古びない。

明治はそんなによかったか

「お前は腐った男」と面罵《めんば》されたのをそのまま俳号にしたというから、なかなかの人物だ。その中村草田男《くさたお》の、あまりに名高い一句が〈降る雪や明治は遠くなりにけり〉である。「明治」を「昭和」に置き換えるなどさまざまなパロディーや本歌取りを生んできた。せんだっては本紙の川柳欄に〈降る雪や明治はそんなによかったか〉という句が載った。政府が顕彰活動を進める「明治一五〇年」の礼賛ムードをあてこすったものとお見受けした。

今年〔二〇一八年〕は明治元年から満一五〇年にあたる。安倍晋三首相は一月の施政方針演説で冒頭にそのことを取り上げた。明治の先人にならって「国難」を乗り越え、時代を切り開いていこうと呼びかけた。

首相の地元山口〈長州〉は鹿児島〈薩摩〉とともに歴史を回す力となった。勝てば官軍。明治維新によって日本はめざましい近代化をとげ、世界の目を見張らせたというのが、いわゆる「薩長史観」である。しかし他のいかなる時代とも同様に、あの時代にも、「明治の栄光」という礼賛ばかりでは到底くくりきれない明と暗があった。

たとえば沖縄に目を向けてみる。

司馬遼太郎の大作『坂の上の雲』は明治一〇〇年だった一九六八年に『産経新聞』で連載が始まった。

「まことに小さな国が、開化期をむかえようとしている」という印象深い書き出しで物語は始まる。その小さな国・日本の開化に呑み込まれていったのが琉球王国だった。明治初めの琉球処分で沖縄県になって、来年で一四〇年になる。

その琉球処分に抗し、琉球王国がつぶされるのを阻止するために清国に渡って援助を求めた琉球人たちがいた。そのひとりだった林世功《りんせいこう》という人物のことを、かつて記事にしようと調べたことがある。

官僚だった林は明治政府の禁を破って東シナ海を越えた。四年にわたり滞在して清国政府に助けを訴えたが、功を奏することはなかった。悲憤のはてに「死をもって琉球王国の存続を訴える」という辞世の漢詩を残して北京で自害する。自刃とも、服毒とも伝えられている。

那覇市の末裔《まつえい》のお宅を探して訪ね、位牌《いはい》を見せてもらったのは、もう二〇年近く前になる。金文字がかすれて読みにくくなった小さな位牌に、沖縄と日本の根源的な関係が刻されているように感じたものだ。

明治以降は島民への徹底した皇民化政策が進められ、そのはての沖縄戦で島は壊滅する。戦後は長くアメリカに占領され、土地を奪われて基地だらけになった。沖縄近代史に詳しい琉球大名誉教授の比屋根照夫《ひやねてるお》さんにたずねると、こう答えが返ってきた。

「基地をはじめ今ある問題の多くは琉球処分に根ざしている。日本《ヤマト》とのはざまでの島民のアイデンティティーの揺らぎも尾を引く。沖縄にとって明治は、明るさをうたった『坂の上の雲』のネガ（陰画）のような苦い時代といえるでしょう」

三年前の夏、安倍首相は里帰りした山口県の会合であいさつをした。明治維新から五〇年は寺内正毅《まさたけ》首相、一〇〇年は佐藤栄作首相でいずれも山口の出身だったと述べ、そのうえで、私ががんばれば一五〇年も山口県出身の安倍晋三となる、ということを語ったそうである。

地元での気安さもあってのことだろうが、そうした言葉に「勝てば官軍」の意識がないことを願うばかりだ。裏をかえせば「負ければ賊軍」。それでは異論を張る野党も、抗議を叫ぶ人々も、権力をチェックするメディアも、つまりは民主主義をつくり出すもろもろが、おのれに仇《あだ》なす「朝敵」にしか映らなくなってしまう。

そういえば、冒頭の中村草田男は安倍首相の母校の成蹊学園で長く教壇に立った。キャンパスには〈空は太初の青さ妻より林檎《りんご》受く〉の句碑も立っている。

敗戦翌年の作である。まぶしい空の青と、手に受ける一顆《いっか》のりんご。明治以来の国家主義と対外膨張のはての戦火がようやくやみ、平和がもたらされたときの、庶民の心の安堵《あんど》、明朗を映していると読むこともできる。

「明治一五〇年」を言うなら、礼賛ばかりでなく光と影の二つの顔を正しく受け止めたいものだ。「坂の上の雲」を追いかけ、近代化をなしとげた歩みだけが明治の顔ではないのだから。

（2018・2・25）

琉球処分はアジアと深く結びついて育まれてきた琉球文化の独自性への抑圧でもあった。清国に助けを求めて海を越えた人たちは「脱清人《だっしんにん》」と呼ばれ、その数は一〇〇人を超えたという。林世功の辞世の漢詩が残る。「古来　忠孝　幾人か全《まった》からん／国を憂い家を思いて已《すで》に五年／一死猶《な》お期す　社稷《しゃしょく》の存するを／高堂　専《もっぱ》ら頼れ　弟兄の賢」。社稷とは国の意味で、すなわち琉球国のこと。高堂は父と母。自分は孝行を尽くせないが、賢明な兄と弟に頼って幸せに永らえてほしい、と願う痛恨の詩句である。いまや基地の島となった沖縄の苦難の歴史を語る故・翁《お》長雄志《ながたけし》知事に、「私は戦後生まれなものですから、歴史を持ち出されたら困りますよ」と言ったのが当時の菅義偉《すがよしひで》官房長官だった。

「上からの弾圧」より怖いのは

天気図に縦縞が並ぶとき、季節風は雪を降らせて山を越え、関東平野で空《から》っ風《かぜ》になる。去年の師走《しわす》のある日、吹いてくる風に向かうように列車に乗って、長野県の上田市を訪ねた。

関東の冬晴れが、軽井沢を過ぎるあたりから雪催《ゆきもよ》いになった。故・金子兜太《とうた》さんが揮毫《きごう》して昨年［二〇一八年］二月に除幕された「俳句弾圧不忘の碑」は、戦没画学生の遺作を展示する「無言館」の近く、冬枯れた丘の木立の中に静かに立っていた。

俳句弾圧とは、時局にそむく作品をつくったとして、一九四〇年代に治安維持法違反容疑で俳人が相次いで捕らえられた事件をいう。「不忘の碑」の説明文によれば少なくとも四四人が検挙された。碑には弾圧を受けたうち一七人の句が刻まれている。その一人、渡邊白泉《わたなべはくせん》はこの一月三〇日が没後五〇年の命日になる。白泉の名は知らなくても、この句は知っているという人は多いのではないか。

〈戦争が廊下の奥に立つてゐた〉

ひたひたと忍び寄ってきた戦争が、気づけば暗がりにぬっと立っている。戦慄《せんりつ》的な暗喩《あんゆ》の句は、昭和の戦争のイメージを不気味に呼び覚まして不朽である。

もう一つ、応召した白泉が水兵をしていた横須賀海兵団時代の句も忘れがたい。

〈夏の海水兵ひとり紛失す〉

海に落ちるかして水兵が行方不明になったのだろう。それを「紛失」と表すことで、人が工具か部品のようにモノ扱いされる非情さを、万の言葉にも増して暗示する。

去年の秋以降は、国会の審議にこの一句を思い出すことが多かった。


外国人労働者の受け入れを拡大する出入国管理法の改正は、粗雑と拙速をきわめる審議に終始した。新たな法には、自分がそうしろと言われたら耐えられないようなことを、他人(外国人)には求める冷ややかさが垣間見えている。

たとえば「特定技能1号」という在留資格ができた。これによって、五年の技能実習を終えてさらに五年、最長で計一〇年日本で働くことができる。しかしその間、家族の帯同は禁じられる。あまりに酷な扱いではないだろうか。

そもそも今ある技能実習制度が、一部で安価な労働力を確保するための「悪しき仕組み」になっている実態が指摘されて久しい。安い賃金や劣悪な労働環境のために失踪《しっそう》してしまう実習生は後を絶たない。人間への敬意が損なわれているのだ。

国会審議の過程で、凍死、溺死《できし》、自殺などで三年間に六九人もの実習生が死亡していたことがわかった。だが、そのことへの見解を問われた首相は「私は答えようがない」と言うのみだった。白泉の詠んだ「水兵ひとり紛失す」の非情さが重なるのは、このあたりの政と官の姿勢だ。時は流れても、人間は絶えず非人間化される危うさの中に生きている。むろん外国人にかぎらない。その真実を、兜太さんによる「不忘」の文字は伝えているように思われる。

「不忘の碑」の隣には「檻《おり》の俳句館」という小さな建物があった。

事件で検挙された白泉ら俳人の似顔絵や作品を壁に展示し、一人ずつ鉄格子を取り付けて、表現や言論への弾圧を「忘れまい」と訴える趣向になっている。

〈ナチの書のみ堆《うずたか》し独逸《ドイツ》語かなしむ〉は時局に便乗した当時の書店の光景であろう。今のヘイト本を想像させる。句は一本の鞭《むち》のように、作者の古家《ふるや》榧夫《かやお》とともに檻の中からこちらを見つめている。

館主のマブソン青眼《せいがん》さんはフランス出身の俳人で長野市に住む。兜太さんを師と仰ぎ碑の建立に尽力した。その人の言葉にはっとさせられる。

「上からの弾圧だけではない。下からの弾圧がこわい。まわりの目が気になって、怖くなって、自分の自由を自分であきらめる。自分で自分の檻を作っているのです」

大げさな話ではない。職場や地域など日常の中での「空気」の圧力は誰にも経験のあることだろう。とりわけ政治色を嗅《か》ぎとられる意見や表現は、近年とみに息苦しさが増している。メディアもまた自己規制という「檻」を内部に抱えている。

碑も館も、ささやかな存在だ。しかし訪ねてみると、それらの句が過去のものではなく、今という時代と深く切り結んでいることに気づかされる。

油断してはならない、という声を遠くから聞く。

（2019・1・6）

「不忘の碑」に刻された白泉、榧夫以外の一五句は以下。降る雪に胸飾られて捕へらる（秋元不死男）、憲兵の怒気らんらんと廊は夏（新木瑞夫）、墓標立ち戦場つかのまに移る（石橋辰之助）、我講義軍靴の音にたゝかれたり（井上白文地）、戦争をやめろと叫べない叫びをあげている舞台だ（栗林一石路）、兵隊が征くまつ黒い汽車に乗り（西東三鬼）、出でて耕す囚人に鳥渡りけり（嶋田青峰）、一兵士はしり戦場生れたり（杉村聖林子）、千人針を前にゆゑ知らぬいきどほり（中村三山）、戦闘機ばらのある野に逆立ちぬ（仁智栄坊）、血も見えず敵飛行士の亡せゐたり（波止影夫）、大戦起るこの日のために獄をたまわる（橋本夢道）、徐々に徐々に月下の俘虜として進む（平畑静塔）、英霊をかざりぺたんと座る寡婦（細谷源二）、血も草も夕日に沈み兵黙す（三谷昭）

忍び寄る「危うい言葉」の支配

政治家の言葉をどう受け取るかの判断は難しい。先月、米紙『ニューヨーク・タイムズ』の一面トップの見出しに非難が殺到したそうだ。トランプ大統領のスピーチを報じた記事だった。テキサス州とオハイオ州で計三一人が死亡する銃乱射事件が相次いだ。事件を受けてトランプ氏は人種差別と白人至上主義を非難し、いつになく強い調子で「この国に憎悪の居場所はない」などと述べた。

同紙は翌日の朝刊の早版用に「トランプ氏、人種差別に対する結束を促す」と見出しをつける。その見出しが前夜のうちにネットで公開されるや、ツイッターなどで抗議がわき起こった。大統領の発言の文脈からも、差別と排斥《はいせき》をあおってきた日頃の言動からも、こんな見出しはありえない、といった反発だった。

同紙は遅版で「憎悪犯罪を責めるも銃規制は語らず」と、引いた表現に差し替える。さらに電子版で「最初の見出しは当を得ていなかった」と釈明した。

この一件、抗議の側に理があったと見るべきだろう。二二人を殺害したテキサスの容疑者の男は移民への憎悪から凶行に及んだ。その犯行声明に頻出する「移民による侵略」という表現は、トランプ氏らが繰り返してきた言い回しに他ならない。

それから数日して、『ニューヨーク・タイムズ』は「言葉」についての記事を掲載した。移民を敵視する言説がテキサスの若い容疑者に与えた影響の考察である。

右派メディアやコメンテーターらによるネガティブな言葉が日常的にあふれる中で、二一歳の容疑者が感化されていった可能性を状況的に示していて興味深い。記事によればトランプ氏自身も今年になって「侵略」の語をツイッターで七回使っているそうだ。支持者の集会では移民を「略奪者」「獣」などと言うこともあるという。

その記事を読みながら、言葉の恐ろしさを書いた一冊の本が頭に浮かんだ。ナチス時代のドイツを市中で生き延びたユダヤ人言語学者クレンペラーが、当時の体験的考察を記した著作である。

全体主義に染め抜かれた時代を、こう述べている。「ナチズムはひとつひとつの言葉、言いまわし、文形を通じて大衆の血と肉の中に自然に入りこんでしまっているのである」。そうした言葉は本人になり代わって思考し、精神のあり方まで方向付けてしまうと、クレンペラーは言う。

そのうえで、「言葉は極《ご》くわずかな砒素《ひそ》の一服のようなものかもしれない。無意識に呑《の》みこまれ、何の利き目も現わさないように見えはするが、しばらく時間がたつと、やはりその毒性は現われる」と警鐘を鳴らす（『第三帝国の言語』羽田洋ほか訳から）。

この七月、トランプ氏は、自身に批判的な民主党の非白人の女性議員らを「米国にいるのがいやなら、出て行ったらどうか」とツイッターで攻撃した。

その数日後、トランプ氏の集会参加者が「国を愛するか、さもなくば去るかだ(Love it or Leave it)」と印字したシャツを着ている姿がニュースで流れた。集会では「彼女を送り返せ」の連呼がわき起こったという。デジタルの時代、「毒」の回りはとても早い。

二〇世紀の後半、「市民」という語には存在感があった。今は世界中で「市民」という言葉が弱々しくなり、「国民」が幅を利かせている時代かもしれない。

共生よりも、いやなら出て行け。日本でも「市民的抵抗」(たとえば辺野古《へのこ》の基地反対運動など)に対して、国家権力になり代わったようにして叩く言動は後を絶たない。いわゆる「嫌韓」も、国民意識に拠《よ》って立ちのぼる他国への見下しの感情だろう。

さきほどの言語学者クレンペラーの本に、次のようなくだりがある。

「今では『国民』という言葉は話す場合にも書く場合にも、食事のときの食塩のように大変よく使われ、『国民の祝祭』とか『国民同胞』……というようなぐあいに、ひとつまみの『国民』が何にでも使われる」。ナチスが政権に就《つ》き独裁を確立した一九三三年の記述である。その背後には「非国民」という指弾が常についてまわったのだった。

むろん当時と今とは、世界も社会もまるで違う。しかし「歴史は繰り返さないが、韻《いん》を踏む」

と格言にいう。同じことは起こらなくても、時代に応じた貌《かお》で忌まわしいものごとが立ち現れてくる恐れは、いつでもありうる。危うい言葉の群れに、時代を支配されたくはない。

（2019・9・15）

ヴィクトール・クレンペラーの『第三帝国の言語』は第二次大戦終結から時をおかずに二年後に書かれた。巻頭には「言語は血よりも濃い」というエピグラフ（題辞）が置かれている。「（ナチス時代に）英雄的という観念と単語は、しだいに、軍人らしい勇気、交戦中の大胆な、死を無視する態度だけを意味するものとして用いられたのであった」など、自らが体験し、見聞した言葉の記録が生々しい。この本はまた、「言葉の毒」が一般市民にどう作用し、どう社会を変えていったかを、迫害に耐えて市中を生きたユダヤ人という受難者の目で見た実録でもある。強制収容所の言語では、射殺されるかガス室へ送られる場合には「最終的解決へ持って行かれる」と言ったそうだ。言葉は現実の糊塗《こと》にも大いに用いられたのだった。

II

虚と実のゆらぐ世界

アメリカ大統領の心と指先

先日訪ねた長崎原爆資料館で一枚の写真を見た。ふたりの会話が聞こえてくるようないい写真である。

「こうやって折るんですよ」「けっこう難しいなあ」——といったような。

ふたりとは、アメリカの駐日大使だったキャロライン・ケネディ氏と、大統領だったオバマ氏。ケネディ氏から資料館の中村明俊館長に届いた新年のあいさつ状に、鶴を折る練習をする両人のスナップふうの写真が添えられていた。

そんな「特訓」の成果であろう、オバマ氏の手になる折り鶴二羽が、一月〔二〇一七年〕に長崎市に贈られた。去年の訪日時に広島市に贈ったのとは別に長崎のために折ったといい、写真と一緒に期間展示されている。きっちりと折られた二羽を見ながら、おそらくはぎこちなく、しかし丁寧に動いたであろうオバマ氏の指先を想像した。

館長の中村さんは、青来有一《せいらいゆういち》の筆名を持つ芥川賞作家でもある。

「手は心につながっているといいますが、写真も鶴もオバマさんという人間への信頼と敬意を感じさせるものがあります」

ひるがえって思う。トランプ大統領の心につながる指先には、「鶴を折る」に象徴される根気と意志と繊細さが備わっているだろうか。その指先はもっぱらツイッターに向かい、気にくわない相手を攻撃する発信に余念がない。

気にくわない相手の一つが、自分に批判的なメディアである。

といっても、大統領と報道機関のいさかいはトランプ氏に始まったことではない。たとえば建国の父の一人ジェファーソン。第三代大統領に就く前には「新聞なき政府と、政府なき新聞の、どちらかを選べというなら、私は躊躇《ちゅうちょ》なく後者を選ぶ」と述べていたのはよく知られる。

それが二期目の就任演説では「新聞の砲列は、無責任という鋳型《いがた》がつくるあらゆる形の弾丸をこめて、容赦《ようしゃ》なく我々に発射した」と非難に変わる。そしてとうとう「新聞を読まない者の方が、読む者より正しくものを知っている」と捨てぜりふめいた書簡を記すに至った。

そのジェファーソンの言う「新聞の砲列」を題名にした、『ニューヨーク・タイムズ』の名記者で副社長だったジェームズ・レストンの本を久しぶりにめくってみた（邦題は『新聞と政治の対決』）。歴代大統領とメディア、つまりニュースにされる側とする側のせめぎあいなどをめぐって興味の尽きない一冊だ。レストン自身の主張としてこんな一節がある。

「世界の運命を左右する実力を持つ米国政府、特に大統領個人のためになるのは、イエスマンの新聞ではなく、その反対、すなわち、砲列の如《ごと》くかまびすしく、しかも正確に発射される、批判と事実の活発な砲撃なのだ」

新聞人の独善とみる向きがあるかもしれないが、前任のオバマ氏は、この言葉の意味するところを心に留めていたと思われる。

在任中最後の記者会見でこんなふうに語っている。「必ずしもあなた方の記事が愉快なわけではなかった。しかしそれこそが、皆さんと私の正しい関係でしょう」。それに比べて、意に染まないメディアを「米国民の敵」とののしり、会見からも閉め出すトランプ氏は、幼児性の中に嗜《し》虐《ぎゃく》が透けて見えるようで不気味である。

米国カリフォルニアで長く港湾労働をしながら独自の思索を深め、「波止場の哲人」と呼ばれたエリック・ホッファーの残した一つの言葉が、トランプという人の本質を突いているように思われてならない。

「粗暴さとは、弱者による強さの模倣品である」(『魂の錬金術』から)

挑発する。壁をつくる。記者を閉め出す。世界が驚く軍拡予算をぶち上げ、核兵器における世界一を強調する。つまりは誰にも逆らわせない——。トランプ氏が国民に示す「強さ」とは、実のところは弱い人間による粗暴にすぎないのだと、波止場の哲人なら見抜くのかもしれない。

長崎の話に戻れば、象徴的な言い方ではあるが、トランプ氏の指先は「核のボタン」の上にも置かれている。長崎で会った何人かの被爆者から不安の声がもれていた。
その指先が鶴を折る光景を想像するのは、いまのところ難しい。

（2017・3・5）

レストンは言論の自由について、一九二〇年のレーニンの次の言葉をしばしば反面教師として引いた。「正しいと信じることを遂行している政府がなぜ、自らに対する批判を許す必要があるのか。……印刷機を買い、政府を困らせることを目的とした悪質な見解をばらまくことなど、絶対に許すべきではない」。これは、新聞は政府の召使でなければならず、政府への反対は非愛国的な行為だとする考え方であり、合衆国憲法の精神にそむくものだとレストンは言う（『アメリカ、アメリカよ』から）。どの政府にもレーニン的な傾向はあるのだろうが、レストンがもし存命だったらトランプ氏に何を思っただろう。安倍晋三氏以降の日本政府もその傾向はつよい。

思い起こした「一九八四年」

大航海時代に名を残すコロンブスは巧みなうそつきでもあった。歴史的な大西洋横断航海に出たとき、陸影が見えなくなると悲嘆する乗組員が続出した。海の果ては断崖だと怖がる者もいた。そこで一計を案じ、航海日誌を二つ作ったという。片方は自分用として正確に書き、もう一つは陸から離れた距離を短く記した。乗組員にはニセモノの方を自由に見せ、恐怖心を鎮めて海を渡ったと伝えられる。

そんな話を、森友文書の改竄《かいざん》問題に思い出した。一五世紀のサンタマリア号ならぬ平成の日本丸に乗る私たち国民。その代表である国会議員は、偽りの日誌ならぬ偽りの文書を、それとは知らずに示されていた。

国会も国民も軽く見られたものである。しかし改竄に手を汚した官僚より、むしろ官僚を責めることで保身を図るかのような政権側への憤りが、日本丸乗員の一人として今はつよい。

振り返れば、国会は、改竄された文書をもとに質疑応答に長い時間を費やしてきた。いわばニセモノが盾《たて》となって安倍晋三首相らを守るという流れの中で、昨年［二〇一七年］秋に解散総選挙があった。北朝鮮情勢など「国難突破」のための選挙と大義を強弁したものの、「森友・加計《かけ》疑惑逃れ」がウラの本音とみられた選挙である。

自民党は大勝した。しかし民主主義の土台を腐らせる不正が明るみに出た今となっては、あの選挙の結果にも釈然としない思いがわいてくる。

あまりに露骨な書き換えに、全体主義国家の恐怖を描いたジョージ・オーウェルの傑作『一九八四年』を思い起こした人もいたようだ。小説の主人公は「真理省記録局」という部署に勤めている。政府の都合と主張に合わせて過去の新聞記事を改変するのが仕事である。

たとえば独裁者が世界情勢の見通しを語る。その見通しが現実にならなかった場合には、現実に起こった通りに語ったことにして書き換える。つまり、すべての過去を現在の状況に合致するように変えていく。刊行物、映像、統計などあらゆるものを改竄して「真実を管理」し、それによって独裁者を絶対化するのである。

財務省が書き換えを認めた翌日、さっそく本紙川柳欄に〈現実にあったオーウェル「真理省」〉の一句が載った。揶揄《やゆ》ではあるまい。おぞましい小説を地で行くような財務省への、むしろ不気味な思いを込めた投句であろうと想像する。

そして、すぐれた時事川柳は予言的に先を見通すものだ。〈適材も廃材となる定め持つ〉は国税庁長官だった佐川宣寿氏が辞任する二週間前に載った。

あれほど「適材適所」と繰り返していた麻生太郎財務相は、一転して佐川氏を呼び捨てで指弾してやまない。一部職員がやったもので「最終責任者は佐川」という早々の幕引きめいた発言に、この人のもとでの真相究明は不可能と見切りをつけた人は多かったに違いない。

「パッとしない人間には二種類ある」と言ったのは米国出版界の大物だったサイラス・カーティスである。そのあとは「言われたことができない者と、言われたことしかできない者だ」と続く。たしかに「言われる前にやる」「言われなくてもする」のは、使えるやつだと目をかけられる要件かもしれない。そこに忖度《そんたく》という魔物が息づき、先読みした算段や卑屈な気働きへと人を駆りたてる。切れ者がひしめく組織ではなおさらだろう。

忖度の親戚筋の言葉には「おもねり」や「へつらい」のほか「太鼓持ち」「茶坊主」などとあって多彩だ。「事なかれ」や「物言えば唇寒し」も遠縁にあたる。古今東西、権力の周辺ではこうした空気が高じて王様を気持ちよく裸にしてきた。この手の追従《ついしょう》が政官の中枢で昨今あまりに臭うのは、人事で睨《にら》みを利かせる長期の「一強政権」の弊害に他ならない。

文書改竄のそもそもの発端は「国民に説明のつかない国有財産の土地取引」だった。それは復古的なイデオロギーを仲立ちにして、権力側と、その威《い》を借《か》る者が連《つる》み合った結果であろう。横車を押されたのが財務省、という構図は動くまい。

一つのうそをつき通すには別の嘘を二十発明しなくてはならない、と西洋の古言にいう。官吏《かんり》の道を外れてまで嘘の上塗りで守ろうとしたものは何だったか。生ぬるい究明やトカゲの尻尾切りでは、怒りの火薬はおさまらない。

（2018・3・18）

航海術も定まらなかった時代、コロンブスの「うそ」には、ニセの航海日誌のほうが本物より実際の距離に近かったというオチがつくそうだ。「うそとほんと」と題する谷川俊太郎さんの詩が胸に浮かぶ。〈うそはほんとによく似てる／ほんとはうそによく似てる／うそとほんとは／双生児／うそはほんととよくまざる／ほんとはうそとよくまざる／うそとほんとは／化合物……〉。平易な詩ながら恐ろしい。そして虚実のモラルが溶けていく閉塞《へいそく》した時代にはしばしば虚が実を駆逐する。今ならネットが負の力量を発揮してフェイクをばらまく。『一九八四年』を彷彿《ほうふつ》とさせる「公的な記憶喪失」がもたらす巨大なうそに、主権者としてもっと憤らなくてはならない。

負の言葉の魔力、世界が注視

トランプ大統領の頭はコルクでできている、と書いたら、一国の元首に対して失礼だと叱られるだろうか——。

昔、フランスにタレーランという政治家がいた。策士で知られ、一九世紀初めのウィーン会議では敗戦国でありながら列強を手玉に取った伝説的な人物だ。

当時のフランスは、フランス革命からナポレオン帝政、王政復古、七月王政へと続く大変革の時代だった。きのうの権力者がきょうは断頭台の露と消える。激流のような政変のなか、タレーランは消えたかに見えてはまた復活し、閣僚や宰相にまで就いた不思議な人物でもあった。

いかなる政変からもよみがえったこの人のことを、当時の高名な女性文学者が評したそうだ。頭がコルクで、足は鉛で作られた、いくら投げてもすぐ起き上がる「おきあがりこぼし」であると。仏文学者、河盛好蔵《かわもりよしぞう》氏の本に教わったそんな逸話が、いまトランプ氏に重なり合う。

他の政治家なら命取りになる暴言を連発し、醜聞や疑惑にまみれながら、転びかけて転ばずに一定の支持率を保っている。ただならぬ不倒翁《ふとうおう》である。その「鉛の足」をがっちり固めているのが、繁栄から取り残された白人労働者が中心とされる熱い支持層だ。

それにしても、とトランプ政権の評価が問われる中間選挙を前にして思う。もともと深刻な分断のマグマを内に抱えるアメリカ社会で、焚《た》きつけるように敵味方を分かち、自ら「分断のくさび」を演じて省みない大統領が過去にいただろうか。

米国の人々は政治家に言葉を求め、政治家の言葉を楽しむ。演説会場に出かけ、心に響く言葉によって連帯感を深め、将来を確かめ合う光景は、日本の政治風景とだいぶ違うと特派員時代に感じたものだ。

政治家のほうも、演説によって聴衆に感銘を与え、時代を動かしていくことに無上の生きがいを感じる人は多い。名スピーチも目白押しだ。しかし憎悪や排除、攻撃の言葉が人々を束ね動かすとしたら、それは忌むべき光景である。

ネガティブな言葉が秘める魔力はあなどれない。港湾労働をしながら思索を深め、「波止場の哲人」と呼ばれた米国人エリック・ホッファーの言葉をふたたび引用したい。

「わずかな悪意がどれほど観念や意見の浸透力を高めるかは、注目に値する。われわれの耳は仲間についての冷笑や悪評に、不思議なほど波長が合うようだ」

さらに、「ある人びとから憎悪を取り除いてみたまえ。彼らは信念なき人間になるだろう」(『魂の錬金術』から)。

古今東西、そうした魔力を熟知し、負のレトリックを操って民衆の情念を大動員した魔術師は少なくない。歴史に照らせば、聴衆に、自分たちは何かの「犠牲者」であるという意識を吹き込むのが扇動の常套《じょうとう》らしい。トランプ氏のスタイルもそうだ。それらは希望を呼ぶ甘言とセットで語られ、ヒトラーのドイツをはじめ幾多の悲劇を生んだのは過去が教えるとおりである。

マイケル・ムーア監督の新作「華氏《かし》119」が公開されている。

トランプ氏の異形ぶりを映しつつ、その大統領を生んだ米国のエスタブリッシュメント(支配者層)の根腐れにも迫るドキュメンタリー映画だ。既成権威、既得権益、既存秩序、既視感……「既」という指紋でべとべとに汚れた政、財、メディアに向ける監督の目は容赦ない。

ムーア氏に取材で会ったのは一四年前になる。イラク戦争に突っ走ったブッシュ政権を痛烈批判した「華氏911」についてこう語っていた。「映画で描こうとした本当の悪漢はブッシュじゃない。戦争をあおったアメリカの主流メディアだよ。怒りの矛先《ほこさき》はむしろそっちだ」

今回の新作にもそれはある。大統領選挙でトランプ氏が勢いづくと、視聴率を取れると見たテレビ各局は競うように過激な言動を流し続けた。主要局CBSの当時の会長が語った本音を、ムーア氏は逃さない。「アメリカにとっては悪いことかもしれないが、CBSにとってはすばらしい。どんどん儲《もう》かって、いい年になりそうだ」

さて中間選挙。トランプ氏の共和党が勝ったら、ご本人は調子づき、各国で台頭する危ういポピュリズムもつられて勢いを増しかねない。戦々恐々として世界が注視する所以《ゆえん》である。

（２０１８・１１・４）

マイケル・ムーア氏の喋《しゃべ》りっぷりを懐かしく思い出す。ミシガン湖のほとりの町で話を聞いたとき、当時の小泉純一郎首相が「華氏９１１」を「政治的に偏っているから見たくない」と言ったことを「自国民よりブッシュを愛していると公言したようなものじゃないか。知的な人間なら様々な意見や真実に好奇心を持つものだろう？　真実に目を伏せ無知なままでいたいだなんて、最愛のブッシュに似てきたね」と皮肉った。さらに「日本がイラク戦争に加担する道を選んだのはまったく悲しいことだ。戦後の六〇年大事にしてきたものをブッシュへの貢ぎ物にしてしまった」と。一握りの金持ちの支配からアメリカを救いたいという熱意は、新作の画面でも不変と見た。

政治家が繰る「夢と嘘」

数字は加速してやまず、今年〔二〇一九年〕四月下旬には一万の大台を超えたという。トランプ米大統領が就任以来発してきた、虚偽の発言や誤解を招く主張の回数である。

ファクトチェックを続けてきた『ワシントン・ポスト』紙が報じている。この一月には就任から二年間で八一五八回という報道に驚かされたが、ペースは跳ね上がっていて、反省の色なし、である。

同紙のファクトチェック責任者、グレン・ケスラー氏は朝日新聞のインタビューに、去年は中間選挙の遊説が数字を押し上げたと説明している。いまは二期目をめざす来年の大統領選に向けて、ますます口から出まかせの度が増しているようだ。

もっとも、ベテランのケスラー氏によれば、どんな大統領も業績を大げさに誇張する傾向はある。重大な虚偽がなかったと思われるのはカーター氏とブッシュ(父)氏だったそうだ。言われてみて気づくことがあって、二人はどちらも、二期目を任せてもらえなかった大統領である。

どこかしら、きまじめで、不器用だった印象の残る二人でもある。第二次大戦後の米大統領のうち現職ながら落選した人はこれまでに三人いて、もう一人のフォード氏も不器用な人だったらしい。冗談めかして「あいつは歩きながらガムがかめない」と言われるほどだった。しかし、そうした人物評の裏には、飾らぬ正直者というニュアンスもあったと聞き及ぶ。

むろん当落の要因はもっと複雑で多面的だが、そんなことを考えつつ頭に浮かんだのは、作家池澤夏樹さんの本紙連載コラム「終わりと始まり」の一節だった。

「政治というのは根源的には『夢と嘘』を操作する技術ではないのか」と池澤さんは言っている。至言だと思う。

池澤さんの文はトランプ氏当選の一年前に書かれていて、同氏の名は登場しないが内容は暗示的だ。トランプ政権の掲げる大きな夢は「アメリカを再び偉大にする」である。その夢と並ぶようにして「米経済は史上最も好調だ」といった幾多のうそがある。政治において、夢はしばしば嘘と抱き合わせで語られる。

これは私の想像だが、カーター氏らからイメージされる誠実、きまじめといったある種の美徳は、政治を動かしていく上で、迫力を欠き、軽んじられやすいのかもしれない。昨今はとりわけ、各国のリーダーや政治家に強面《こわもて》で押しの強い言動が目立っている。夢と嘘を駆動させて、国民の中にナショナリズムへの誘惑を高めつつあるようで、不安が消えていかない。

ひるがえって日本だが、池澤さんは東京オリンピックという祝祭と、招致スピーチで首相が述べた、原発事故の汚染水をめぐる「アンダーコントロール」発言などを夢と嘘としてあげている。東日本大震災の後に気づいてみれば、国策として進められてきた原発が、そもそも大がかりな夢と嘘の操作だった。「明るい未来」をうたった標語の後ろには、うそで化粧した安全神話がいつも張りついていた。

政治とうその親密さは政治家自身がいちばん分かっているのだろう。だから人をくったような名(迷)言が多い。

「政治家は自分の言っていることを信じていないから、他人が信じてくれるとびっくりする」と言ったのはフランスの大統領だったドゴールだ。トランプ氏の自己認識はどんなものだろう。自分のついたうそを真実と思い込んでいるのであれば事態はいっそう深刻である。

評論家の故・加藤周一さんが、こう述べていたのを思い出す。

「天下国家の安泰は、みだりに嘘をつかぬ政府によるところが大きいだろう。その次には、むやみに嘘をつくが、自らはそれを信じない政府。最大の危険は、その現実判断が自らの嘘から強く影響される政府である」(『夕陽妄語《せきようもうご》』から)

まともな民主国家であれば、一番目の政府のはずである。しかし国会などのチェックが機能しなくなれば、たちまち劣化してしまう恐れはある。三番目の極端な例は、戦争に突き進んでいった戦前戦中の日本政府であろう。議会軽視を許してはならない理由がここにある。

うそつきは逃げていっても、うそが生んだ現実が人を苦しめることになる。

（2019・5・12）

＊二期目をめざしたトランプ氏は二〇二〇年一一月の大統領選で落選した。

嘘、とりわけ政治家のうそについて考えるとき頭に浮かぶのは、ヒトラーが第二次世界大戦の引き金になったポーランド侵攻の直前に語った「勝者となれば、真実を語ったかどうかは、後で問われることはないのだ」という大胆不敵な言葉である。これは一九三九年八月二二日(侵攻は九月一日)にナチス幹部、高官らを前に語られている。侵攻の「大義」を虚実ないまぜに並べたあとの締めくくりの言葉とされる。これほど極端な話ではなくても為政者には古今東西、「結果さえ良ければ真実を語ったかどうかは問われない」という独善的な意識があまねくあるように思う。「アンダーコントロール」もその類いであろう。東京五輪はもろもろの偽りと、根拠なき楽観に支配された。

民主主義の「靴磨き」のとき

他人を指さす時は、残りの指が自分をさしていることを忘れるな、と言った人がいる。まさにそのとおりで、人に向ける非難や誹《そし》りは、しばしば自分自身にもあてはまる。私もそうだが、自省の苦い思いとともにこの警句にうなずく人は結構多いに違いない。

参院選が公示された七月四日〔二〇一九年〕、安倍晋三首相は第一声でこう訴えた。「私たちのように議論する候補者、政党を選ぶのか、審議をまったくしない政党、候補者を選ぶのか……」。国会で憲法議論が進んでいないことを述べたくだりだが、これなどは、残りの指が自分をさしている一例だろう。

政府与党こそ国会を軽んじて、議論に背を向けてこなかったか。モリカケ疑惑など都合の悪いことや、年金など国民の関心事の質疑応答からはあからさまに逃げてきた。そうしたことを棚に上げて、自分の関心事については「議論か否か」と迫るのだから、相当頑丈な棚をお持ちである。

公示の前日、日本記者クラブでの党首討論会では、こんな一幕があった。

質問者がテーマごとに各党首に挙手で賛意を示すよう求めた。選択的夫婦別姓制度などを「認めるか」と問われて首相は手を挙げなかった。そして「単純化してショーみたいにしないほうがいい。政治はイエスかノーかではない。あんまり印象操作するのはやめた方がいい」と不快感を表した。ごもっとも。でも、それらは政権のいつもの手法ではなかったですか——とブーメランは返ってくるだろう。

新元号「令和」の発表やアメリカ大統領訪日などでは、政治ショーめいた場面を随分見せられたものだ。数を恃《たの》んだイエスかノーかの採決強行には何度もため息をつかされてきた。もっともな批判や疑問の追及に対しても「印象操作だ」と言い返す印象操作は、いまや首相周辺の常套手段といっていい。

私感を述べれば、安倍首相は他人に指先を向けることが目につく人だ。

秋には歴代最長の総理大臣になろうという人なのに、いまだに野党などを見下すような口調やふるまいが止《や》まないのは不思議である。

見えてくるのは、首相には、反対者をも含めて国を代表していく姿勢が乏しいことだ。国民の代表で構成される国会の軽視にも、それはつながってくる。

「自分の支持者、賛同者しか代表できない人間は、どれほど巨大な組織を率いていても『権力をもつ私人』以上のものではない」と、思想家の内田樹《たつる》さんが一般論として述べていたのを思い出す。そうした狭量に対して権力に近い政官の人々が忖度やら追従やらを重ね、民主主義を傷めているのが今の政治の光景ではないのだろうか。

大正から昭和の川柳人だった前田雀郎《じゃくろう》に〈磨く他ない一足の靴である〉という一句がある。くたびれた一足きりの靴しかない貧乏暮らしのボヤキのように読めるが、別の解釈もできる。一足の靴とは作者自身であって、自分という靴を脱ぐことは誰にもできない。それを磨き続けて生きていくのだという覚悟として読めば、句の味わいはいっそう深い。

国民にとっては、国の政治も、民意によって磨き続けるほかない一足の靴といえる。他国の政府に履きかえるわけにはいかない。汚れたら泥をぬぐい、傷んできたら革を張り替える。人を選び政党を選ぶ国政選挙は民主主義の靴磨きのときだ。良い靴を履けば、より多くの人が安心して遠くまで歩いていける。

与党だけでなく野党もだが、私たちがいま目撃しているのは、政治家と政治が幼く粗雑に退行しているさまに思われる。甘えてたるんだ人、うわついた人、思い上がった人を緊張感に漬け込んで国政にふさわしい成熟をもたらすのは、民意のまなざし以外にない。

『暮しの手帖』の伝説的な編集者、花森安治《やすじ》が言っていた。「国家とか日本というものは、ぼくたちのはるか上空にひらひらしているものではないのだ。ぼくたちみんなが、こうして毎日必死になって、まともに暮している、そのより集《あつま》りが日本だ、日本の国だ」。多くの人の思いを代弁するように今も響く。

政治家が自分の思いを遂げることが政治なのではない。

（2019・7・14）

花森安治は一九六九（昭和四四）年に「もののけじめ」という一文の中で大いに政治を憂えている。「政治のあり方をみて、腹も立たず、しかたがないと、うすら笑いをうかべ、ばかげたテレビ番組に、うつつをぬかし、野暮なことはいいっこなし、で暮しているうちに、やがて、どういう世の中がやってくるか」。今もそのまま通じる話だ。そして翌年は「見よぼくら一戋五《いっせんご》厘《りん》の旗」と題して「さて　ぼくらは（中略）おしまげられたり　ねじれたりして　錆《さ》びついている〈民主々義〉を　探しだしてきて　錆びをおとし　部品を集め　しっかり　組みたてる」と書いた。常に一人一人が目を届かせ、投票に出かけ、手塩にかける気概を持たないと、民主主義はゆがみ崩れてしまうと言い続けた人だった。

お友達より、持つべきは敵

政治家ではない人を「あの人は政治家だ」と言うとき、それは大抵ほめ言葉ではない。立ち回りがうまく、損得しだいで節を曲げる、どこか信用のおけない人物像が浮かんでくる。

評論家の故・加藤周一さんに再びご登場願う。二〇年前の本紙連載の「夕陽妄語」でユーモアまじりにこう書いていた。

「庭の桜の木を切った少年が、親に叱られるのを怖れて、切ったのは自分でないと言えば、嘘である。切ったのは自分だと言えば、それがほんとうで、少年は正直である」

そして、「そのときもし少年が『切ったという記憶はない』とか、『そういう質問に答える義務はない』とか、『誰が切ったかは後世の歴史家が決定する問題である』などと言えば、それはごまかしで、少年には将来政治家になる資質が備わっているということになろう」

苦笑しつつうなずいてしまう。もっとも、桜の木を切ったと正直に話した初代米大統領ワシントンの有名な美談は今では伝記作家の作り話とされている。ひるがえって日本国首相の「桜を見る会」をめぐる醜聞は、看過できない実話である。

加藤さんのエッセーに沿って私感を述べれば、桜の醜聞は、由々しい公私混同であるとともに、「僕は切ってない」と言い張る少年の尻ぬぐいを周囲が大わらわで仕《つかまつ》る、笑えぬどたばたとして映る。とりわけ公僕である官僚が、無理筋のつじつま合わせに右往左往する図は、森友・加計に酷似する。公務員にも「政治家になる資質」が必須の時代なのか。首相は資質十分とみえ、紋切り語を連ねた空疎な饒舌《じょうぜつ》ではぐらかしを図る。

その桜をはじめ、許容しがたいレベルの政治の私物化と国会軽視、直近では検察人事をめぐる専横など、安倍晋三政権が民主主義を損なっていると憂える人は少なくない。当方もそのひとりである。たとえば、角砂糖をスプーンにのせて紅茶に少し漬けてみる。すると茶色い液体が染みわたって角砂糖はグズグズに崩れていく。今の政治のありよう、すなわち民主主義や公正が毀損《きそん》されていくイメージは、私にはそんな感じに映る。

立憲民主党の辻元清美氏も類似のイメージをお持ちかと想像する。それが「鯛《たい》は頭から腐る」などの国会発言になったのだろう。色をなした首相がヤジを飛ばして紛糾したのは周知のとおりだ。首相は辻元氏の発言を「罵詈《ばり》雑言《ぞうごん》」と言うが、そうだろうか。「権力は腐敗する。絶対的権力は絶対的に腐敗する」の名高い警句を思えばこの手のレトリックは許容範囲だろうし、何より政権に対する一定の民意の代弁でもあった。

そもそも言論の府は、権力を持つ者が聞きづらいことを聞く義務を負っている場であろう。少数派を見下したり、幼稚な言動で威を誇示したりする場ではないはずだ。

首相に関してよく出てくる言葉の一つに「お友達」がある。かつて「お友達内閣」などと言われたこともあった。

たしかに、「持つべきものは友」である。しかし「敵」というのもそれに劣らず大切だ。大劇作家シェークスピアはさすがに人間通らしく、喜劇『十二夜』の道化役に「持つべきは敵」だと語らせている。セリフが振るっている。

「だってさ、友だちはおれをほめあげてばかにするが、敵は正直にばかだと言ってくれるんでね」。続くセリフが、ずばり真を突く。「つまり敵によっておのれを知り、友だちによっておのれを欺《あざむ》くってわけだ」(小田島雄志訳)

国会質疑ひとつを見ても、自民党議員の歯の浮くような称賛と追従の発言を聞かされれば、道化のセリフはうなずける。そうやってトップの危うい全能感は醸《かも》されていく。

人間誰しも、ほめ言葉を食べて生きているところはある。批判はペッと吐き出したい。しかし独裁国ならぬ民主国家のリーダーがそれでは困る。敵によっておのれを知り、批判を糧《かて》にできるかは、すぐれて度量の大小の問題であろう。牛乳瓶の器に一升の水は入らない。

新型コロナウイルス感染症の拡大を見てもそうだが、現実はときに政治の幅と経験値を軽々と超えて、その先をゆく。ご都合主義と「やってる感じ」で永らえてきた政治のツケが、パンデミックという災厄の渦中で一気に回ってこないかを心配する。

（2020・3・1）

「敵」という語から連想するもう一つの言葉は、スペインの哲学者オルテガ・イ・ガセットの一九三〇年の著作『大衆の反逆』の中の「自由主義は、敵との共存、そればかりか弱い敵との共存の決意を表明する」というよく知られた一節だ。その前段には、「自由主義とは至上の寛容さなのである。(中略)それは、多数者が少数者に与える権利なのであり、したがって、かつて地球上できかれた最も気高い叫びなのである」の言葉が置かれている。一方で後段には、「自由主義を実際に行なうことはあまりにもむずかしく複雑なので、地上にしっかりと根を下ろしえないのである」の言葉がある(神吉敬三訳)。前段と後段。世界は今どちらの言葉に近づきつつあるのだろう。

言葉に逆襲される首相

本腰を入れたものより、戯《たわむ》れのようにやっていたものの方が後世に残ることがある。たとえば久保田万太郎は本業の戯曲や小説より、「余技」だと言っていた俳句によって今はよく知られる。〈湯豆腐やいのちのはてのうすあかり〉

アベノミクスよりもアベノマスクの方が後々、人の記憶に残るように思う。片や長期政権の屋台骨をなす経済政策であり、もう一方は側近官僚の思いつきとされる。だが巷《ちまた》の秀逸なネーミングも相まって、冗談めいた奇策と、首相ご当人のマスク着装の印象はなかなかシュールだ。

むろん万太郎の句はすぐれているから名が残るのであり、不人気なマスクとは逆の話。ともあれ窮屈なマスク顔で、あるいはマスクを外して、安倍晋三首相は様々に語りかける。しかし言葉が心に響いたという話はあまり聞かない。

言葉を弾丸にたとえるなら、信用は火薬だと言ったのは、作家の徳冨蘆花《ろか》だった。火薬がなければ弾は透《とお》らない、つまり言葉は届かないと。これは若さゆえに信用を欠く者に「焦らずに火薬を積め」と諭《さと》すくだりだが、数を恃《たの》んで言葉への横着を重ねてきた首相にも、もはや十分な火薬があるとは思われない。その弾にしても自前ではなく大抵は官僚の代筆である。

丁寧、謙虚、真摯《しんし》、寄り添う、といった言葉をさんざん「虐待」してきたのはご承知のとおりだ。いま、コロナ禍の危機に言葉が国民に届かず、ひいては指導力が足りないと不満を呼ぶ流れは、言葉に不誠実だった首相が、ここにきて言葉から逆襲されている図にも見えてくる。


一年前、元号は令和に替わった。選考の過程で、国書を典拠にしたかった安倍首相は「万葉集っていいね」と語ったという。「令和」の出典と同じ万葉集の巻五には「大和の国は……言霊《ことだま》の幸《さきわ》う国」という名高い詩句がある。言葉に宿るゆたかな力で栄える国、という意味だ。

万葉の昔から時は流れて、政体は民主主義へと変遷した。民主政治は血統や腕力ではなく言葉で行われる。リーダーを任ずる者なら、自分の言葉を磨き上げる意欲を持ってしかるべきだろう。

ところが首相には、言葉で合意をつくったり、人を動かそうとしたりする印象がない。数で押し、身内で仕切れば、言葉はもはや大事ではなくなるのか。国会では早口の棒読みか不規則発言。スピーチなどでは「国民の皆様」と慇懃《いんぎん》だが、中身は常套句の連結が目立ち、「言霊」を思わせる重み、深みは感じられない。

作家の故・丸谷才一さんが二〇〇六年、安倍氏が最初に首相に就いたときに、新著『美しい国へ』の読後感を本紙で述べていた。「一体に言いはぐらかしの多い人で、そうしているうちに話が別のことに移る。これは言質《げんち》を取られまいとする慎重さよりも、言うべきことが乏しいせいではないかと心配になった」

辛口の批評だが、老練な作家の洞察力は、後に多くの人が気づく「首相の言葉の本質」をぴたりと言い当てている。

家ごもりの一日、版元から頂戴していた梶谷和恵《かじたにかずえ》さんの詩集を手に取った。巻頭に置かれた「朝やけ」と題する三行の短詩に、いきなり引き込まれた。

どうしよう、

泣けてきた。

昨日は　続いている。

明けゆく空を見て湧く感動とも、昨日をリセットできない屈託《くったく》とも読める。

後者だと想像すれば、今の多くの人の心情を表しているかのようだ。コロナ禍の緊急事態宣言が解除されても翌日すべてが変わるわけではない。長期休校が続く子、収入の絶えた人、資金繰りに悩む経営者――誰もが事情を抱えながら閉塞感《へいそくかん》のなかで次の朝を迎えている。第二波への恐れも社会を陰らせている。

そうした状況に向けて、首相は強い言葉をよく繰り返す。「躊躇《ちゅうちょ》なく」は連発ぎみだし、ほかにも「積極果断な」「間髪を入れず」「一気呵成《いっきかせい》に」などいろいろある。「力の言葉」を、「言葉の力」だと勘違いしてはいないか。

川を渡る途中で馬を替えるな、は危機を乗り切るための常道だ。しかし「コロナ後」という時代の創出は、新しいリーダーを早く選び出すかどうかの選択から始まるのだろう。すべては民意にゆだねられる。

（2020・5・24）

＊安倍氏は二〇二〇年八月に体調悪化を理由に辞任表明、九月に菅義偉《すがよしひで》氏が新首相に就いた。

中曽根康弘元首相が、首相になる前の鳩山由紀夫氏に「政治は、美しいとか、キラリと光るとか、形容詞でやるのでなく、動詞でやるものだ」と注文をつけたことがあった。鳩山氏も負けずに「行動の前に哲学的な形容詞を大事にするべきではないか」と反論していた。文章は形容詞から腐るというが、政治においても形容詞（修飾語）は腐りやすい。安倍晋三氏も「形容詞の首相」だったようだ。「地球儀を俯瞰《ふかん》する外交」「女性が輝く社会」「世界の真ん中で輝く日本」……と次々に政権を修飾したが成果はどうだったか。丁寧に、真摯に、謙虚に……の語は朽ち果てて、〈百の言葉をつらねて一つの事より逃げた者よ〉という詩人故・萩原恭次郎の古い詩句をその饒舌の記憶として残した。

「森友」の闇、真実への意志

赤木さんのことを忘れまいと多くの人が思っている。けれども忘れるのを待っている人たちもいるのだ。

森友問題をめぐる財務省の公文書改竄に加担させられ、苦悩と後悔に満ちた手記と遺書を残して命を絶った近畿財務局職員、赤木俊夫さん（当時五四歳）のことだ。「僕の契約相手は国民です」と口癖のように言っていた人が、不正を強いられたあとは「僕は犯罪者や」と繰り返すようになっていったという。

赤木さんの残した文書や、さまざまな報道に接するうち、胸に浮かんだのは次の言葉だった。

「すなわち最もよき人々は帰ってこなかった」

精神科医がナチス強制収容所の体験を記した『夜と霧』（フランクル著、霜山徳爾訳）の、よく知られた一節だ。深い淵のような言葉は、倫理に優《すぐ》れ、人間性を失わず、他者のことを思える人たちから斃《たお》れていった、と読み解ける。

反対に「良心なく……不正な手段を平気で用い、同僚を売ることさえひるまなかった人々がいたのである」と、人間の弱さと醜さもまた記録されている。

極限状況の収容所と日本の役所はむろん違うが、この言葉には普遍性があろう。それにしても と思う。森友の一件だけを見ても、切り売りされたり、泣き寝入りさせられたりした公務員の良心はどれほどの嵩《かさ》になることだろう。そしておそらく、フランクルの言ったように「最もよき人」は帰らぬ人となったのだ。

『夜と霧』からの連想を続けよう。

赤木さんの妻、雅子さんは三月一八日〔二〇二〇年〕に国と改竄当時の財務省理財局長だった佐川宣寿氏を大阪地裁に訴えた。改竄の真相を知りたいという切実な願いからだ。各紙が朝刊で報じた翌一九日は、もちろん偶然だろうが、あのアイヒマンが生まれた日でもあった（一九〇六年生）。多くのユダヤ人を収容所へ送り込む計画を実行した人物である。

アイヒマンの裁判を傍聴し、「私は命令に従っただけ」と保身に終始する被告が特別な極悪人ではなく凡庸《ぼんよう》な役人にすぎず、ゆえに誰もが状況しだいで「彼」になりうると喝破《かっぱ》したのは政治哲学者ハンナ・アーレントだった。名高い著書『イェルサレムのアイヒマン』（大久保和郎訳）にざっと次のようなくだりがある。

――アイヒマンは、総統ヒトラーが汝《なんじ》の行動を知ったとすれば是認《ぜにん》するように行動せよ、という内面のルールに従っていた――。これは、自らの行為の主《あるじ》を上級者の意思とするという、いわば善悪の思考を放棄した「歯車」の概念に近いものだろう。そのことはまた、他者(上級者)の心中を察して行動するという「忖度」の語義とありように類似している。

実際、無思考な歯車になりきったかのように国会で組織(権力)と自己の保身答弁を繰り返す佐川氏を、いささか酷ながらアイヒマンの法廷のイメージに重ねる人は少なからずいた。そうした佐川氏に、一人の人間に立ち返って真実を話してほしいと願うのが、雅子さんの心情であろう。

世の中は慌ただしい。大きなニュースが飛び込めば一つ前のできごとはたちまち後景に退いていく。不正義や不公正への憤りはやがて忘れられ、政治家は高をくくることを覚えていく。そんなことが近年、何度繰り返されてきたことか。

ここ数カ月、国内はコロナ一色に染まってきた。新たな局面となった森友問題にしても、「桜を見る会」にしても、疫病という災厄を奇貨とするような「頬かぶり」が看過されてはなるまい。肝心なことは覆い隠されたまま、今も明らかになってはいないのだ。

去る六月一五日、雅子さんは第三者委員会による再調査を求める三五万二六五九筆の署名を首相ら宛てに提出した。署名は「このままでは夫の死が無駄になる」という訴えへの共感であり、赤木さんのことを忘れまいとする多くの意思だろう。しかし政権側に取り合う様子はない。国会はその二日後にさっさと閉じられた。

国家権力を相手に真実を知ろうとする決意には、ひとり荒野へ歩み出すような覚悟と勇気が必要だったと想像する。その深い意志に思いをいたすとき、安倍晋三首相や麻生太郎財務相の責任感を欠く言動はいかにも卑小に映る。

与党議員から良心の声は上がらないのだろうか。真実を求める意志の前に「親安倍」も「反安倍」もないはずだ。

（２０２０・７・５）

裁判でアイヒマンは「官庁用語しか私は話せません」と弁解した。そして驚くほど一貫して、一言一句たがわず決まり文句や自作の型にはまった文句を繰り返したという。「彼の述べることは常に同じであり、しかも常に同じ言葉で表現した。彼の語るのを聞いていればいるほど、この話す能力の不足が考える能力――つまり誰か他の人の立場に立って考える能力――の不足と密接に結びついていることがますます明白になって来る」とアーレントは言う。そのうえで、意志の疎通が不可能なのは「現実そのものに対する最も確実な防衛機構（すなわち想像力の完全な欠如という防衛機構）で身を鎧《よろ》っているからである」と述べている。既視感を覚える図である。

小さな芽がはらむ深刻な結末

「いやな感じ」が残る小さな本紙記事を読んだのは三年前のことだ。

見出しは〈「国批判番組に賞、いかがなものか」／文化庁職員、芸術祭賞審査で〉。

その前の年〔二〇一六年〕の芸術祭賞テレビドキュメンタリー部門の審査過程で、自衛隊の国連平和維持活動を検証したＮＨＫの番組（優秀賞を受賞）に対して、見出しのような発言があったという。当時の文部科学相もそれを認め、釈明した。

三年たって、「いやな感じ」がはっきり姿を見せたと思ったのが、今回の日本学術会議における任命除外だった。任命されなかった六人は、濃淡の差はあれ安倍晋三政権に疑義や批判的な意見を述べてきた人たちだ。

聞けば二〇一六年ごろから任命をめぐる首相官邸の介入があったという。霞が関は敏感だ。文化庁職員の発言は、そうした空気が官界に蔓延《まんえん》している小さな証跡だったかもしれない。意に染まぬものへの警告めいた政治介入は、それが狙いなのかもしれないが、ひいては学問や表現などの自由の首を絞めかねない。

こんなときいつも思い出すのは、先にも引いた朝日新聞の大先輩でもあった反骨のジャーナリスト、故・むのたけじさんが戦時の苦い反省から絞り出した警句だ。「はじめにおわりがある。抵抗するなら最初に抵抗せよ」。歴史に学べば、はじめの小さな芽の中に深刻な結末が内包されていることは多い。手遅れになる前に動け――と先達の言葉は教えてくれる。何度反芻《はんすう》しても、しすぎることのない教訓である。

多くの人たちが声をあげている。是枝裕和《これえだひろかず》さんら映画人有志二二人の抗議声明にあるドイツ人、マルティン・ニーメラー牧師のよく知られた言葉にも、むのさんの警句と響き合うものがある。「ナチスが共産主義者を攻撃し始めたとき、私は声をあげなかった。私は共産主義者ではなかったから。次に社会民主主義者が投獄されたとき、私はやはり抗議しなかった。社会民主主義者ではなかったから。労働組合員が攻撃されたときも私は沈黙していた。そして彼らが私を攻撃したとき、私のために声をあげる人は一人もいなかった」(一部略)

思えばドイツの悲劇も、はじめの小さな芽の中に内包され、そこから膨れあがった凶事の総体だった。見て見ぬふりの順応組や、無関心な沈黙組、いわば普通の市民が果たした「役割」を、牧師の言葉は深い後悔とともに照らし出す。

いまは二一世紀。ここは日本。戦争とかナチスとか、暗い過去を引き合いにするのは大仰だと言う人もいるだろう。たしかに時代も状況も違っている。しかし「歴史は繰り返さないが、韻を踏む」と前にも書いた。その時代その時代に応じた人相と風体《ふうてい》で、気づかぬうちに良からぬものが立ち現れてくる可能性は、いつだってあるのだと心したい。

それにしてもと思う。自民党の個々の議員は危機感を覚えないのだろうか。思っても口にしないのだろうか。当方の寡聞《かぶん》ゆえかもしれないが、船田元《はじめ》衆院議員による批判を知るぐらいだ。むのさんに話を戻せば、危ういのはむしろ自主規制だと口を酸っぱくして言っていた。戦中の新聞社も「権力と問題を起こすまいと自分たちの原稿に自分たちで検閲を加える」ことをすすんでやった。

今回の任命除外も、そうした萎縮を学術界にもたらすことが懸念される。除外の理由をはっきり示さないことは、「分かっているだろう」と暗にドスを利かせる策略にも思われる。

しかし学術界よりも先に、むしろ政権党の内部が危ういのではないかと心配になる。議員個人とりわけ若手は、自由に考え、表現できているのだろうか。上意をうかがい、自己規制で縮こまっているとしたら、まともな自浄力、復元力は期待できなくなる。近代政治の主要理念である自由と民主を連ねた名の政党である。「不自由非民主党」であっては屋号が泣こう。

同調の空気に締めつけられ、分断と排除にささくれる時代である。かみしめたいのは戦後すぐの英首相だったクレメント・アトリーが残した言葉だ。

「民主的自由の基礎は、他の人が自分より賢いかもしれないと考える心の用意です」

異なる意見に胸を開き、謙虚で寛容であることを平易に語った、みごとな民主主義論であり、人生訓だと思う。

（2020・10・18）

むのさんと同じような戒《いまし》めの言葉を、ドイツの悲劇を生きた児童文学者ケストナーも残している。「雪玉が雪崩《なだれ》になるまで待っていてはいけないのです。転がる雪玉を砕かなければなりません。雪崩になってしまえばもはや誰にも止められはしないのです」（『大きなケストナーの本』丘沢静也ほか訳から）。アトリーの言葉は現職首相だった一九四八年に語られている。面白いことに河合秀和著『クレメント・アトリー』によれば、少年時代の学校の評価は「物事をよく考え、自分の意見を作っている。……人格は健全」などと高かったものの、一方で「欠点は自分の意見に強くこだわり、他人の意見はほとんど考慮しないこと」と指摘されていたという。自省の言葉だったかもしれない。

「良き敗者」が担う役割とは

長きにわたった政権の座から自民党が下りた一九九三年夏、ときの首相だった故・宮澤喜一さんを徳川慶喜《よしのぶ》にたとえる声があった。慶喜は大政奉還をした江戸幕府最後の一五代将軍であり、宮澤さんもまた一五代の自民党総裁だった。

下野の夏、宮澤さんは、非自民政権の発足直後に細川護熙《もりひろ》新首相に会っていろいろと助言し、励ました。心中穏やかなはずはないが、選挙で示された民意への敬意でもあったのだろう。宮澤さんらしいグッドルーザー（良き敗者）ぶりが、小さなトピックながら記憶の隅に残っている。

グッドルーザーといえば、アメリカ大統領選挙には「敗北宣言」の伝統がある。長丁場の大統領選は全米で「民主主義の祭り」の様相を見せるが、皮肉にも祭りのたびに社会は二分されてきた。ゆえに敗者は勝者を祝福し、勝者は敗者をたたえて、溝を埋める意志を示し合うのが、きれいごとには見えても長い祭りの終わり方だった。

わたしは特派員だった二〇〇四年、二期目をめざすブッシュ大統領（共和党）に惜敗したケリー上院議員（民主党）の敗北演説をボストンで聞いた。「この国は統合と思いやりを必要としている。

あなたがたと彼ら（ブッシュ氏支持者）の懸け橋になる」と語る言葉に支持者は立ち上がって長い拍手を送っていた。差異を認め合う復元力が、まだ感じられたものだ。

いまや、負けたはずの大統領が結果を認めない異様な事態が続く。政権は移行されても民主主義のこうむる痛手は限りなく深い。

「ここはアメリカだ。ベラルーシではない」とCNNテレビのキャスターが言っていた。まだ開票が続いているのにトランプ氏が「我々は勝利した」と一方的に発言して集計作業の停止を求めたときだ。

ベラルーシは「欧州最後の独裁者」と呼ばれる大統領が選挙の不正を非難されつつ君臨する。その国を引き合いにして自国の大統領の常識はずれを伝える、悲痛な言葉としてわたしは聞いた。

「投票が民主主義なのではない。票を数えることが民主主義なのだ」。これは英国の劇作家トム・ストッパード氏の劇のせりふで、一面の真実を突く。自由な投票はむろん不可欠だが、開票がフェアであってこそ民主主義は裏打ちされる。

民主的な公正を欠く国では投票用紙はしばしば紙くずと化す。かつて中米ニカラグアで独裁政権時代に、「あなたは選挙に勝った。だが私は票のカウントに勝った」と露骨に言った大統領がいたのを思い出す。リードが危うくなると集計をやめろと言い、選挙で下された審判を根拠なく不正だと拒むトランプ氏の言動は、有権者と当選者をおとしめ、支持者が結果に納得するのを妨げて（それが狙いか）分断に塩を擦《す》り込んでいるように映る。

「議会の目的は殴り合いを議論に変えること」と英首相チャーチルは言ったものだ。それに倣《なら》えば「民主主義は殴り合いを投票に変えること」とも言える。しかしトランプ支持の右派が自動小銃を構え、双方の支持者が一触即発でにらみ合い、商店街がショーウィンドーに板を打ち付けて自己防衛していた今回の大統領選を見ると、そんな素朴な「定義」は揺らいでくる。

人間は、自分を否定してくる者と闘っているうちに、いつしか相手に似てしまうことがある。かつてポーランドにスタニスワフ・レツという詩人がいて、次のような短詩を残している（長谷川四郎訳）。

〈敵の顔を見てびっくりする、あんまり自分の顔に似ているので〉

アメリカにおける青色（民主）と赤色（共和）の分断を思うとき、しばしばこの短い詩が胸に浮かんでくる。

相手も自分も同じ感情と口ぶり、態度で尖《とが》り合い、フェイクにだまされているのは自分ではなく相手側だと信じて疑わない。ついには憎悪さえ生じて溝をいっそう深めているのがアメリカ社会の現状だろう。そうした中にあって、自己に向かって理性の目が開いたときに、レツの詩句のような「気づき」がもたらされるのだと思う。

詩には「敵も自分も同じ人間だと気づく」という含意もあろう。そうした個々の気づきを促すためにも、リーダーの理性的なグッドルーザー精神は大切なのだ。世界注視の政権交代であれば、なおさらのことだ。

（２０２０・１１・２９）

レッ（一九〇九―六六）は機知と皮肉を利かせたアフォリズムの詩人である。この短詩は長谷川四郎詩集・訳詩集『さまざまな歌』所収で、長谷川は「レッツ」と名を表記している。日本ではほとんど知られていないが、スラブ文学者の沼野充義氏によれば、ユダヤ人の家庭に生まれ、ナチスに捕らえられて収容所で自分の死体を埋める穴を掘らされているとき、シャベルで看守を殴り倒して逃げたという。現代史の悲惨をさんざん味わった末の短句は鋭く、どきりとさせられる。うち二つを沼野氏のエッセーから抜粋させていただく。〈猿ぐつわの跡は、舌に残る〉。これは言論弾圧の苦い記憶であろう。そして〈世界への窓は新聞で閉ざすことができる〉。そう、権力と結んだ御用メディアは民衆の耳目をふさぐ。

「政治的方言」に慣らされない

アメリカ大統領選の喧噪《けんそう》を離れて菅義偉首相のこの間を振り返れば、まず注目していた初の所信表明演説は肉付きのとぼしい印象だった。実務的に各論を積み上げる流儀はわかるにしても、流れを漕《こ》ぎ上がっていくような言葉の力がない。

約二五分の話を聞きながら胸に浮かんだのは、今年〔二〇二〇年〕が自決から五〇年になる三島由紀夫のエピソードだ。戦後すぐに大蔵省の官僚だったころ、大臣の演説草稿を任されたことがあった。だが書き上げたものに上司は不満で、根本的に改訂されたと自著『文章読本』で振り返っている。

直されて出来上がった演説文は三島も感心する「名文」だった。「すべてが、感情や個性的なものから離れ、心の琴線《きんせん》に触れるような言葉は注意深く削除され」ていたそうだ。紋切り型の表現がちりばめられ、「一定の地位にある人間が不特定多数の人々に話す」ための、独特の文体になっていたという。

菅首相ばかりではない。安倍晋三前首相の被爆地でのスピーチをはじめ政治家の言説を聞くたびに、三島のいう名文は「永遠の命脈」を保っているとの思いを新たにする。とりわけ近年は恥ずかしげもない作文棒読みがはびこって、国会論戦は貧相にやせ細るばかりだ。

そのような生気を欠いた、模倣的で陳腐な文体や言い回しを、英国の作家ジョージ・オーウェルは「政治的方言」と呼んでいた。演説者の喉《のど》から音は出ているが「自分で言葉を選んでいる時のような頭の働きがそこには加わっていない」と手厳しい(「政治と英語」から)。

所信表明から二日後。日本学術会議の六人の任命除外について菅首相は「多様性が大事なことを念頭に判断した」と国会で答弁した。その奇妙な弁明を聞いて、今度はシェークスピア劇の「悪魔も手前勝手な目的のために聖書を引用する」というセリフが、ふと胸をよぎった。

多様性や異論をむしろ排したと見える六人除外を、「多様性」という言葉を味方につけて正当化しようとする不条理と厚顔を思ってのことだ。たとえて言うなら強権国家が民主化を求める市民を制圧して、それを「正常化」と呼ぶような言葉づかいのまやかしをわたしは感じた。

そうした苦しい弁明に用いた言葉のツケを、菅氏は先週の衆参予算委員会で払うことになった。それにしても答弁はおぼつかなかった。不器用というのでもない(高倉健さん以来、不器用はむしろ好意的な言葉で、それには誠実さという裏打ちが要る)。聞いていると、首相はこれまで頼みにしてこなかった言葉から手痛い仕返しを受けているように思われる。

長かった官房長官時代には「差し控える」「問題ない」「当たらない」を連発し、自前の言葉で説明する手間は徹底して避けてきた。これでは言葉のほうもそっぽを向こう。木で鼻をくったような記者あしらいはある種の「威厳」らしきものをもたらしたが、それも番頭役までで、首相に就くやメッキはたちまちはがれてしまった。

「カビってどうして生えてくるんでしょう」と聞かれて、「早く食わねえからだ」と答えたというある落語師匠のエピソードは、問答のちぐはぐが愉快で笑わせる。だが言論の府でのかみ合わない問答は、大抵は狡猾《こうかつ》な戦略とみていい。

先に掲げたオーウェルの論評に照らせば、擁護できないものを擁護しようとするとき、政治の言葉は婉曲《えんきょく》と論点回避と曖昧性が露《あら》わになる。いわゆる「ご飯論法」のごまかしも、「会っていない」と言わず「会ったという記憶はない」と言うのもその類いだろう。今回の日本学術会議の問題をめぐる説明も、モリ・カケ・サクラと同じ言い逃れの型にはまり込んでいる。

ここまで書いてきて、日本のいちばん大切な公共財は日本語だと言っていた井上ひさしさんを思い出す。それに比べれば新幹線も高速道路もものの数ではあるまい、と。言葉にこだわったこの作家らしい卓説である。

政治への信頼は、政治家の言葉への信頼なしには成り立たない。だが、せっかくの「大切な公共財」を軽く横着に扱って恥じない政治家は少なくない。語られる言葉の貧困、怠惰、不誠実に「いつものことさ」とは慣らされるまい。その意識が為政者に緊張をもたらすことになる。

＊菅氏は二〇二一年一〇月に在任一年で退陣した。

（2020・11・8）

安倍政権とそれを継承した菅政権の終わりに際して、思い起こしたのは、かつて故・鶴見俊輔さんが述べていたことだ。「今、国会と大臣だけを見ていて、私は、日本はこの一五〇年の相当低いところにいると感じている。ところが、日本は世界の一流国だと、彼らは信じているらしい。日本に知性が残っていれば、これから世界の中でどのような三流国としてやってゆくかの構想を育てていると思うのだが……」（『象の消えた動物園』から）。いまの話ではない。麻生太郎内閣時代の二〇〇九年二月に発表された論評の一節だ。それから一二年余りがたって、鶴見さんのきびしい言葉をあらためて実感する人もいるのではないか。国民は自分たちの程度に見合った政府しか持てないと、往々言われる。私たちはこのレベルなのかと、何度もため息をつかされた八年一〇カ月だった。

III

抵抗への意志と勇気

五〇年後のカクテル・パーティー

沖縄は梅雨に煙っていた。緑深い恩納村《おんなそん》の山あい。雨にぬれたアスファルト道路の脇に、おびただしい数の花束が供えられていた。一つ、二つ、三つ……二〇〇まで数えたが数え切れない。

「怖かったでしょう。あなたの死を無駄にはしない」

そんなメッセージも置かれている。米軍の軍属の男が逮捕された殺人事件の死体遺棄現場に立つと、凶行で突然人生を断たれた女性(当時二〇歳)を悼む人、ひいては基地の島の現状を憤る人がいかに多いかに想像がおよぶ。

翁長雄志《おながたけし》知事も訪れ、ひざをついて手を合わせた。「守ってあげられなくてごめん」と胸の中で語りかけたそうだ。その断腸の思いに、沖縄の人は二一年前を重ね合わせたに違いない。

「行政を預かる者として、本来一番に守るべき幼い少女の尊厳を守ることができなかったことを、心の底からおわびいたします」

一九九五年、アメリカ兵三人による少女暴行事件に怒った県民総決起大会の壇上、当時の大田昌秀知事が絞りだした言葉は人々の胸を突いた。

今回の被害者は、ちょうどその頃に生まれた女性だ。「何も変わっていないのです。日本政府には変える気がない。これで主権国家といえますか」。久しぶりにお目にかかると、九一歳になる大田さんの厳しい口調も変わっていなかった。変わりようがないのだ、と思う。

大田さんと同年生まれ、沖縄初の芥川賞作家である大城立裕《たつひろ》さんも、「沖縄は本土復帰前と変わらない治外法権的状態ですよ」と嘆きは深い。

小説『カクテル・パーティー』で賞を受けて、来年[二〇一七年]で五〇年になる。戦後に日本から切り離されて米軍の統治下に置かれた沖縄が、植民地的な抑圧と屈辱感に苦しんでいた時代を描いた作品だ。

支配する側とされる側の現実を取《と》り繕《つくろ》うように基地内で開かれるカクテル・パーティー。偽りの親睦の仮面を大城さんは剝《は》いでいく。主人公の娘が米兵に暴行される事件が起きる。泣き寝入りするほかない時代である。だが正義も人権も踏みにじる支配側の理不尽に憤り、米兵を告訴して勝ち目のない裁判を起こす――。

受賞して五年後に沖縄は日本に復帰した。それから四四年の月日が流れて、大城さんは言う。「私の小説がいつまでも古びないと言われるのを、喜んでいいのか悪いのか。いまも沖縄が苦しんでいる証しですからね。復帰にかけた期待が裏切られているのが、心からくやしい」

嘆きを聞きつつ、思いがよぎる。歴代首相が自賛してきた固い絆の日米同盟とは、いわば沖縄という島をアメリカへの捧げ物にして華やぐ隷属的なカクテル・パーティーではないのかと。

一九七二年の復帰後に沖縄から米国に留学したある大学院生が、ゼミで米兵による性犯罪の多発を訴えた。すると「レイプなんかニューヨークでも毎日起きている」と反論された。「違う」と説明した。「ニューヨークで捕まった犯人は刑罰を受けなくてはなるまい。だが沖縄では基地の中へ逃げ込めばそれで済むのだ」

この逸話は、事件のたびに問題になってきた「日米地位協定」の一面を、粗《あら》いけれど象徴的に言い表わしている。

今回は犯行のあった時間が公務外だったこともあり、沖縄県警は軍属の男を逮捕した。しかし基地があるがゆえの犯罪であり、新たな傷口は幾多の過去の事件を呼び覚ます。険しい感情が人々の腹にふつふつ湧かぬはずはない。怒りを背に沖縄県議会は「沖縄の米海兵隊の撤退」を求める決議を可決した。これは復帰以降初めてのことだ。

沖縄から本土に向けて「差別」という声が頻繁に聞こえだしたのは、いつ頃からか。元知事の大田さんは言う。「以前は差別などと言うのはインテリか闘士ぐらいだった。今はごく普通の人も口にする。意識が底から変わりつつある」

明治以来、「本土の守り」に供せられてきた島の歴史と現状への、それは心底からの異議申し立てにほかなるまい。太平洋戦争末期の凄惨《せいさん》な沖縄戦もまた、本土防衛の時間を稼ぐための「捨て石」作戦であったのは知られる通りだ。六月二三日の慰霊の日が今年も近い。

（2016・6・12）

＊大田昌秀さんは二〇一七年六月、大城立裕さんは二〇年一〇月に逝去されました。

辺戸《へと》岬は沖縄本島最北端にある。大田さん、大城さんと同じ一九二五年生まれの沖縄の文学者、故・船越義彰《ぎしょう》さんが「辺土岬にて」という詩を書いたのは復帰前。米軍占領下で「島ぐるみ闘争」と呼ばれた反基地運動がうねっていた。だが叫びは本土に届かない。〈(声は)空しく濃藍の海に吸いとられるだけか／ニッポンの島影は／手をのばせば届くところに浮びながら／実に遠い　手ごたえのない位置で無表情だ。／劃然《かくぜん》と断ち切られた境界／海にも断層があるのか／北緯二十八度線を越えて去来する風と雲の自由に／島は羨望の眼をあげる……〉。この年、一九五六(昭和三一)年の日本の経済白書は「もはや戦後ではない」とうたった。だが沖縄には異なる戦後が流れていた。その長い詩の一言一句は、いまも本土の無関心と無表情を突いてやまない。

翁長知事の言葉のゆくえ

八月八日、二つの原爆の日にはさまれるように沖縄県の翁長雄志知事が不帰の客となった。全国紙五紙のうち日経を除くすべてが一面トップで伝えた(東京紙面)。一知事の死去としては異例の報道が沖縄の置かれた今を物語る。

〈八月や六日九日十五日〉

これは、多くの市井《しせい》の人が同じ発想をして詠まれてきた「詠み人多数」の俳句である。並ぶ日付が戦争の記憶のふたをあけ、祈りと誓いをよびさます。それらに六月二三日の沖縄慰霊の日を加えた四つの日を、天皇陛下［現上皇陛下］は「どうしても記憶しなければならないこと」として挙げている。

多くの日本人にとって、陛下の思いは腑《ふ》に落ちるものだろう。今年［二〇一八年］も四つの日に式典があり、それぞれテレビで中継された。いずれも安倍晋三首相の姿があった。しかし沖縄で、広島で、長崎で、どこか義務的に参列している印象を受けたのは私だけではなかったと思う。

スピーチもしかりである。翁長氏や広島、長崎両市長の言葉はよく練られ、聞く人をうなずかせるものだった。それらに比して首相あいさつは、いつも通りの常套句の組み合わせを聞かされた感が否めなかった。

〈原爆を知れるは広島と長崎にて日本といふ国にはあらず〉

長崎で被爆し八年前に九〇歳で亡くなった歌人竹山広《ひろし》さんの最晩年の一首を、首相のスピーチから思い出した。「沖縄を知れるは沖縄のみにて……」と変奏すれば沖縄にもあてはまる一首である。

ヤマトに向けた厳しい言葉を、いくつも翁長知事は残していった。

「沖縄が日本に甘えているのか、日本が沖縄に甘えているのか」(この言葉は何度も繰り返された)

「総理が『日本を取り戻す』と言っていた。取り戻す日本の中に沖縄は入っているのか」(菅義偉官房長官に)

「普天間は危険だから大変だとなって、その危険性除去のために(別の基地を)沖縄が負担しろ、と。こういう話がされること自体が日本の政治の堕落ではないか」(同)

「歴史的にも現在においても、沖縄県民は自由、平等、人権、自己決定権をないがしろにされてきた。私はこれを『魂の飢餓感』と表現している」(国と争う辺野古《へのこ》訴訟の陳述で)

ほかにもたくさんあり、言葉でたたかう人だったことがわかる。しかし腹の底から絞り出したであろう声が政府に届いた様子はない。安倍首相は二言目には「沖縄の気持ちに寄り添って」と、実際からは程遠い美辞を単調に繰り返してきた。

「言葉の発し手と、受け手とが、ぴたり切りむすんだ時、初めて言葉が成立する」と言ったのは、詩人の茨木のり子さんである。続けて「全身の重味を賭けて言葉を発したところで、受け手がぼんくらでは、不発に終り流れてゆくのみである」と。

政権が翁長氏の言葉と切り結ぶことはなかった。沖縄の民意をのせた重い言葉は、一強政権の驕慢《きょうまん》に問答無用の体《てい》で跳ね返され、今も漂流したままである。

沖縄は本土復帰からの四六年を七人の知事でつないできた。翁長さんのあとの八人目を決める選挙が今月三〇日にある。

国と協調するのか、対峙《たいじ》するのか。そんな選択を知事選挙のたびに問われ続けてきた都道府県は沖縄をおいてない。政府は時の知事の姿勢をみて、振興費の蛇口《じゃぐち》を開いたり絞ったりした。「反基地」をかかげた大田昌秀知事の時代には政府との関係が冷え切って「県政不況」という言葉さえ生まれた。

住民一人ひとりに暮らしがある。それと同時に、沖縄はこうあってほしいという基地の島ゆえの思いがある。選挙は現実と理念のはざまでの決心をそれぞれに迫る。その過程での地域や職場、ときには親戚や家族まで巻き込んでの分断や確執が、これまでも人々を苦しめてきた。

沖縄の人口は全国の一％しかない。その沖縄に「魂の飢餓感」を押しつけたまま、それすら忘れたように九九％が安らぐ図は異様である。翁長氏が二年前、報道機関との懇親会で「政権の何が一番だめなのか」と聞かれ、「愛がない」と答えたという話が、いま胸にこたえる。言葉は私たちに投げられたのだ。「ぼんくらな受け手」でありたくはない。

（2018・9・2）

＊知事選挙では翁長氏の後継とされる玉城《たまき》デニー氏が当選した。

沖縄を考えるとき、哲学者カントの「人間を目的として尊重し、単なる手段として利用してはならない」という名高い倫理観が重なり合う。沖縄で、とりわけ年配の人々の胸から消えないのは本土の受益のための「手段」とされ続けてきたことへの憤りだろう。歴代知事の発言からも、そのことはうかがえる。初代の屋良《や》朝苗《らちょうびょう》氏は一九七二年の本土復帰の式典で「沖縄が歴史上、常に手段として利用されてきたことを排除し（中略）新しい県づくりに全力を挙げる」と決意を述べている。大田昌秀氏の言葉はいっそう強かった。「沖縄は手段あるいは政治的質草《しちぐさ》にされ、利用され続けてきた」と何度も語っている。いま進行中の辺野古の新基地建設もまた米国向けの政治的な質草といえる。

夭折の女性記者、色あせぬ勇気

ＮＨＫの大河ドラマ「いだてん」は視聴率こそいまひとつだが面白い。先日の放送では伝説の名選手、人見《ひとみ》絹枝《きぬえ》が、アムステルダム五輪の陸上女子八〇〇メートルで銀メダルをとっていた。女性ゆえに偏見や好奇の目にさらされながら、それをはね返すように新しい道を拓《ひら》いたアスリートだ。しかし栄誉から三年後の一九三一（昭和六）年夏、二四歳で病のために早世してしまう。

ドラマに重なるように胸に浮かんだのは、同時代を生きた一人の女性ジャーナリストだった。性差別という理不尽に立ち向かい、洞察に満ちた一四冊の本を残して、人見と同じ夏に二七歳で夭折《ようせつ》した。

その人は北村兼子《かねこ》という。

関西大学に学び、高等文官試験を受けようとしたが女性には許可されず、大阪朝日新聞の記者になった。たちまち頭角を現してめざましい筆を振るった。

たとえば、「（女学校で）教わった事は大きな嘘である。先生は『女は奴隷に甘んぜよ』という耳ざわりの悪い言葉を修身に用いないで、『女は女らしく』といったような、円滑で狡猾《こうかつ》な陰険的感化をもって、限定せられた不自由な範疇《はんちゅう》の内に女性を追い込んでしまう」

あるいは、「婦人が向上したら（参政の）権利を与えようというが、権利をくれないで束縛せられては向上のしようがない。束縛を解いてくれれば女の手足が伸びる。夜が明けたから太陽が昇るのではない。太陽が昇るから夜が明けるのである」

思いの丈をつづる筆は冴《さ》え、羨望《せんぼう》の念を抱かせるほど歯切れがいい。

男女共学を唱え、女卑に抗《あらが》い、優れた記事を連発する一方、歓楽街への潜入ルポを試みるなどした。しかし記者として名声が上がるにつれ、いくつもの通俗紙やゴシップ誌がモダンガール風の彼女を餌食《えじき》にし始める。「淫婦」などといった性的な中傷を執拗《しつよう》に書き立てた。

彼女は反論する。「卑《いや》しい男子が数でかかって夜襲する……婦人が社会に立って何らかの働きをすれば、すぐ中傷の糸がからむ、無根のことでも繰り返しているうちに事実化してしまうから恐ろしい……」。このあたりの状況は、約九〇年を経た今も驚くほどに変わらない。

結局、反論に疲れはてて二年半で退社した。しかし、挫折によって行動と思考のスケールはいっそう大きくなる。

女性参政権の活動として欧米や中国などを訪ね、旺盛に執筆して次々に出版した。「フリーになってからの彼女はまぶしいほどでした」と、評伝『北村兼子――炎のジャーナリスト』を二〇年前に刊行した関西大教授の大谷渡《おおやわたる》さんは言う。

さらには航空機の時代を予見して操縦を習得した。欧州へ飛び立とうとする矢先に病で急逝したのだった。『大空に飛ぶ』が遺著のタイトルになった。

大谷さんは北村を「当時の日本女性では最高のリベラリスト」とみる。「マンに対するウーマンという区画を立てるそのことが既に婦人にとっては一種侮辱と考える」といった彼女の言葉を挙げ、「現代の最先端でも色あせない視点と思想がある。今はほとんど忘れられた存在なのが残念です」と惜しむ。

百年、二百年後の人たちが、わたしたちがもつ世界観に、信じられぬと首をふることは考えられるでしょうか?　これはドイツの文学者エンデの問いかけだ。

思えば人間の来し方は、小さなことから大きなことまで、今日は当たり前と思われていることが、明日になれば間違っていたという錯誤と変容の繰り返しだった。「いだてん」が描くオリンピックもそうだ。クーベルタンは女性のスポーツに不寛容だった。だから第一回に女子の姿はない。彼だけが石頭だったのではなく、そのような価値観の時代だった。

人間の社会というものは、さまざまな醜悪さを見せながら、みずからを修正していくエネルギーもまた内包している。世界は変わる。しかし黙っていて変わるわけではない。そしていつの時代も、道を拓こうとする人の歩む道は険しい。

女性、障害者、性的少数者——今この時も多くのチャレンジが進行中だ。変わっていくことこそが人間の営みであろう。勇気への敬意、それを忘れまいと思う。

（2019・8・4）

北村兼子は女性参政権に熱意を燃やしたが、自身が政治家に向いてもいたようだ。「現代のペルリ（ペリー＝世界の趨勢の意味）は婦人参政権を黒船に載せて開放を迫っております、（略）時代を解しない頑固な男性はそのチョン髷《まげ》を切られその大小（の刀）を取りあげられるまで気が付かないのであります」。あるいは「婦人の位置は西の方が日当たりがよく発達し西から東へくるに従って婦人の位置は風通しが悪くなっています、日本は悪い水の流れの終点になっているようです」。最後の著書『大空に飛ぶ』にある講演筆記には、聴衆に訴えるレトリックの冴えが随所に散らばる。早世したのは満州事変の始まった一九三一年。早くからファシズムを批判していた彼女が存命であれば、戦争拡大から敗戦にいたる激動の一五年間にどんな発言をしただろうか。

「男性仕様の物差し」を溶かすとき

発言を聞いて、言いそうな人がやっぱり言っているな、と妙に納得することがある。昨年〔二〇一九年〕暮れのことだが、ブラジルのボルソナーロ大統領が環境活動家のグレタ・トゥンベリさんを「あんなガキ」と呼んでなじったと報道された。

トランプ米大統領も、トゥンベリさんが去年九月の国連気候行動サミットで注目を集めたとき「明るく、素晴らしい未来を楽しみにしている、とても幸せそうな女の子みたいだ」と見下すようにからかった。

そんなことを三月八日の日曜、国際女性デーにちなむ「Ｄｅａｒ　Ｇｉｒｌｓ」の記事が満載された朝日新聞の朝刊を読みながら思った。

思い出したのはもう一つ。昨年末にフィンランドで就任した女性のマリン首相を、近隣国エストニアの内務相が「売り子が首相になった」と揶揄《やゆ》した。欧米の英字紙は「セールスガール」とあざけったと報じ、三四歳の首相と職業を軽んじたニュアンスが伝わってくる。内務相は七〇代の男性で右派政党の党首だという。エストニアは大統領が陳謝した。

マリン首相は、自らの生い立ちを踏まえて「貧しくても教育を受けて何でも達成でき、レジ店員が首相になれるフィンランドを誇りに思う」と切り返した。トゥンベリさんもそうだったが、無礼へのスマートな対応をみると「大人の男」の同類として顔の赤らむ思いがする。

ふと頭に浮かぶのは、英国の女性作家ヴァージニア・ウルフが九〇年ほど前に述べていた、きびしい皮肉だ。

「女性解放に反対する男性の歴史は、女性解放の歴史そのものより、もしかすると興味深いかもしれません」（『自分ひとりの部屋』片山亜紀訳から）

自分の内面を鏡で見せられる思いになる。「反対」は「妨害」「邪魔」にも替えられるだろう。いくつか思い浮かぶことはある。

たとえばマラソン。一九六七年、米国ボストン・マラソンに一人の女性ランナーが性別を隠して参加し、完走したことで「女子マラソン」の門戸は開いた。

このとき、女性に気づいた大会関係者の男性が、レース途中で彼女を排除しようとしている一連の写真が残る。ジャケットを着た初老（に見える）男性が顔をゆがめて追いすがる図は、どこか滑稽《こっけい》だ。ご当人には可哀想だが、ウルフの皮肉をそのまま具現した感がある。

あるいは、前に当コラムで紹介した大阪朝日新聞の北村兼子。男尊女卑に抗う優れた記事を書いたが、通俗紙などに中傷を書き立てられて社を去った。著書『婦人記者廃業記』の憤りは痛烈だ。「男だてら、職業婦人征伐《せいばつ》を得意とする悪徳記者は大阪にわいた毛虫たち……」

ウルフは先の著書で、男性にとって生まれつき人類の半分が自分より劣っていると感じることができたら、それは大きな自信になる、という意味のことを述べている。だから女性に対する自分の優越性というものが、いつだって気がかりなのだ、と。

マラソン関係者にせよ、悪徳記者にせよ、過去の愚や醜を現在の「正しさ」から見て難じるのは簡単だ。ひるがえって思う。今を生きる私は本当のところ、男性という内なる「くびき」からどれだけ自分を解き放てているだろうか。

ここ数カ月、「121」という数字をニュースでよく見聞きする。「121ショック」という言葉もあるらしい。世界経済フォーラムが昨年末に発表した「男女格差報告書」における一五三カ国中の日本の順位だ。過去最低。主要七カ国(G7)で最下位。大きな理由の一つは女性政治家の少ないことだという。

しかし、あまり偉そうに批評はできない。朝日新聞の現状も威張れるほどではない。天声人語を担当していたころ、こうしたテーマで書くと「まず隗《かい》より始めよ。女性筆者を」といった声が必ず届いた。天声人語の「歴代筆者」は戦後一五人になるが、まだ女性は一人もいない。

一二一位の風景を眺めれば、「男性仕様の物差し」は今も日々のいたる所で竹藪《たけやぶ》のような根を張っている。各所で目にする、いわゆる偉い人はずらり年配の男性という、未来人が見たらきっと驚くような図は一つの証しだろう。
「社会全体で」とは言うまい。私の物差しを、私が溶かしていくときだ。

（2020・3・22）

二〇一七年四月、「261」というゼッケン番号がアメリカのボストン・マラソンで永久欠番になった。一九六七年の大会に参加した女性ランナー、キャサリン・スイッツアーさんがつけていた番号だ。男子のみの大会だったが性別を隠してエントリーし、この番号を「公式に」与えられた。気づかれないようにするためか、上半身は長袖、下半身は足元までのグレーのトレーナー上下の姿が写真に残る。途中で排除されかけたが完走し、ゴールタイムは四時間二〇分二秒（推定）だったという。それからちょうど五〇年になるのを記念し、スイッツアーさんの意志と勇気をたたえての永久欠番である。ちなみに昭和初期の人見絹枝の時代（九八頁参照）は八〇〇メートルがオリンピック女子陸上の最長距離種目だった。

詩聖の残した「百年の言葉」

アジア初のノーベル文学賞を受けたインドの詩聖タゴールが、大歓迎のなかに初来日して今年[二〇一六年]で一〇〇年になる。三カ月にわたって滞在し、行く先々で即興の短詩や警句をたくさん残した。

それらを集めた「迷える小鳥」(藤原定訳)は、珠玉の言葉がひしめく宝石箱だ。

たとえば、〈ハンマーの打撃ではなく、水の踊りが歌いながら小石を完美にしてゆく〉。清流にまろやかに磨かれる石を想像させる詩句からは、打つ、叩くという「力」ではなく、愛というものへの信頼と賛美が透くようににじむ。

〈足蹴《あしげ》は埃《ほこり》を立てるだけで、大地から何ものも収穫しない〉も奥深い。怒りにまかせて地面を蹴っても大地は何も応えてくれない。短慮と暴力を戒《いまし》める。

さらに心をゆさぶられるのは、〈人間の歴史は、侮辱された人間が勝利する日を、辛抱づよく待っている〉である。

侮辱された人間とは、虐《しいた》げられた人々であろう。黒人奴隷や迫害を受けた先住民族といった様々なマイノリティーにもたらされるべき勝利とは、ゆるがぬ自由と平等の獲得をおいて無い。人間の歴史への、深い部分での詩人の信頼に胸が熱くなる。

今年四月、一人の黒人女性の名が世界に報じられた。存命の人ではない。南北戦争前のアメリカで、南部の奴隷を北部の州へ逃がす命がけの地下活動で大勢の黒人を救ったハリエット・タブマン。米財務省が二〇ドル紙幣の新たな肖像にすると発表した。黒人女性が肖像になるのは初めてのことという。

日本ではあまり知られないが、米国では敬意をもって語られる勇気の人だ。幼かったころ、二人の姉が鎖につながれて奴隷の仲買業者に買われていった姿が生涯の心の痛みになったという。自分が北部へ逃れてからも何度も南部に戻り、地下組織の活動のもっとも危険な「手引き役」となって、州境を越えて何百人という黒人を自由の身に導いたとされる。奴隷を所有する白人からは憎悪され、身柄には高額の懸賞金がかけられた。

一九世紀の「お尋ね者」が二一世紀に「正義の人」として紙幣を飾る。タゴールのヒューマニズムと重なって美しい。その一方で米国の現実を眺めれば、人種間の平等の天秤《てんびん》は今もゆがみを正せずに傾《かし》いだままだ。

この夏、黒人が警察官に射殺される事件が相次いで、抗議のデモが全米に広がったのは記憶に新しい。さらに暴言王とも称される候補が話題をさらう大統領選挙と相まって、多様性の尊重を

「きれいごと」と腐《くさ》す右派ポピュリズムの空気が、ここにきて隠れもなく頭をもたげつつある。

裏を返すなら、黒人女性の紙幣への初登用は、平等という理想に向けて米国が苦闘を続けている表れともいえる。人種問題という「最も深い断層」(オバマ大統領)を埋める象徴としての役割を、米政府は、素朴な顔立ちの一女性に託したのではないかと想像してみる。


六月、差別と闘い続けたボクシングのモハメド・アリ氏が世を去った。ローマ五輪で金メダルに輝いて帰郷したが、レストランで「黒人はお断りだ」と拒まれ、怒りのあまりメダルを川に投げ捨てた――。よく知られた「伝説」の真偽はともかく、彼の故郷を流れるそのオハイオ川は、タブマンの時代に逃亡奴隷が自由を得るために越す最後の関門のひとつだった。

当時の名高い小説『アンクル・トムの小屋』でも、奴隷の母親が坊やを抱いて荒れるオハイオ川を必死に対岸へたどり着くくだりは忘れがたい。これには実在のモデルがあったと言われている。

アリ氏の「伝説」からもう一つ思い出すのは、退任も間近になったオバマ大統領の就任演説の一節だ。「つい六〇年ほど前はレストランで食事もさせてもらえなかったかもしれぬ父を持つ男がいま、あなた方の前に立っている」。これを聞いたときも、黒人初の米大統領の言葉にタゴールの詩句が重なったものだ。

――いつの歴史をみても、正しさはマイノリティー(少数者)の勇気あるチャレンジから始まっている。その事実にもっと謙虚で、敏感でありなさい――。人種問題ばかりではない。詩聖の言葉は百年の歳月をこえて、そう語りかけてくる。

（2016・9・4）

タゴールは日本に来て俳句にすっかり魅せられてしまい、短い詩を残した。『迷える小鳥』は三二五篇から成る。そのうち最も人口に膾炙《かいしゃ》しているのは〈どの赤ん坊も、神はまだ人間に絶望していないというメッセージをたずさえてくる〉だろうか。また〈不正は敗北には堪えられないが、正義はそれができる〉も理不尽な逆境にある人を励ますこの人らしい詩句だ。ところでタブマンを肖像とする二〇ドル紙幣はトランプ大統領時代にストップがかかった。しかしバイデン政権になって再び計画は動き始めている。現行の二〇ドル紙幣の肖像の第七代ジャクソン大統領は反エリート的な言動で下層大衆の人気を集めた人だった。トランプ氏はその人を信奉して肖像画をホワイトハウスに掲げていた。

「森の生活」から聞こえる太鼓

二〇一五年の七月に亡くなった哲学者の鶴見俊輔さんから、一度だけはがきを頂戴した思い出がある。一〇年前、胸に響いた言葉についてお尋ねしたことへの、短いが親切な返信だった。「太鼓の音に足の合わぬ者を咎《とが》めるな。その人は、別の太鼓に聞き入っているのかもしれない」。もとはソローの『森の生活』にある一節を、かつて鶴見さんが自分流にそう訳して話していたと、作家の故・中野孝次さんの本で知った。

心に残ったので、それは何かに書いたものですかと郵便で尋ねた。返信には、安保闘争さなかの一九六〇年に月刊誌『世界』に寄せた文中の言葉だとあり、調べてみると、少し異なる表現だったが冒頭の題辞（エピグラフ）として置かれていた。

鶴見さんの名訳には中野さんも感銘をうけて、皆が一つの太鼓に足を合わせた時代を引き合いに、自分と違う人間の存在を認める心を持つことこそが友愛の出発点だと述べていた。

ささやかな記憶がふとよみがえったのは、この七月一二日［二〇一七年］が思索家ヘンリー・デイヴィッド・ソローの生誕二〇〇年と聞いたからである。

アメリカの片田舎で小さな湖水を隣人として暮らし、『森の生活』を書いたソローは隠遁者《いんとんしゃ》のイメージがつよい。しかし骨太な反抗者でもあった。奴隷制度やメキシコを攻めた戦争を批判して納税を拒み続け、投獄されたこともある。

誰かが税を立て替えて払ったので、意に反して一晩だけで釈放されたが、のちに次のような言葉を残している。

「人間を不正に投獄する政府のもとでは、正しい人間が住むのにふさわしい場所もまた牢獄である」(『市民の反抗』飯田実訳から)。良心にもとづく権力への不服従という思想は、後世のガンジーやキング牧師らに大きな影響を与えてきた。

それから時は流れたが、個々の人間の良心が権力によって弾圧される非道はいまも地上から消えることがない。ここにきて、長く獄中にあって末期がんを病む中国の人権活動家、劉暁波《りゅうぎょうは》氏の深刻な事態が世界に報じられている。

祖国の民主化を求め続け、七年前に獄につながれたままノーベル平和賞を受けた人である。妻の劉霞《りゅうか》さんが当時、当局を批判して「夫のたった一本のペンを怖がっている」と語っていたのが記憶に残る。中国の体制は昨今いよいよ、一党独裁の太鼓とは違う音を鳴らす者にも、それに聞き入る者にも寛容になることがない。

劉氏に一つ明かりがあるとすれば、国際社会のまなざしが注がれていることだろう。世界には、その存在すら知られない受難者のほうが圧倒的に多い。

〈みんなとは違う考えを持っている／ただそれだけのことで拘束され／誰にも知られず誰にも見えないところで／問答無用に倒されてゆくのはどんな思いだろう〉

これは茨木のり子さんがアムネスティの人権報告に寄せた詩の一節だ。

私たちのまなざしは、おそろしい暗黒と絶望に沈む人たちの明かりとなりうるか——。「灯」と題する詩はそれを問うているように読める。人権抑圧の悲劇を止めうる国際世論もまた、一人ひとりの微細な良心の集合体にほかならない。

ソローは若いとき、大学を出て小学校教師になった。しかし当時は当たり前だった鞭《むち》で児童を打つ教育方針を拒み、非を訴えたが受け入れられずに職を去っている。お偉方の鳴らす太鼓の音に足の合わない先生だったようだ。

鶴見さんも、六〇年安保のときに岸内閣の採決強行に抗議して国立大学である東工大の助教授を辞している。どこかソローの遠い残影を重ね見る思いがする。

ソローは、良心の声に従う個人の自由と権利を尊重せよと主張した。つきつめて言うなら、彼の尊ぶ良心とは、必要なときには権力や権威に向かって「王様は裸だ」と叫ぶ気骨かも知れない。

ひるがえってこの国を見れば、追従《ついしょう》と保身の忖度《そんたく》太鼓が陰気に響く政官界である。まれに気骨を見せる者がいれば封殺の手が伸びる。そうした中、あすは国会で、加計《かけ》学園の獣医学部新設をめぐる疑念の文書について、「あったものをなかったことにはできない」と言う元官僚［前川喜平・元文部科学事務次官］が質疑に答える。
共鳴する世論が小さいとは思わない。

（2017・7・9）

納税を拒んでソローが投獄された夜、友人の思想家エマソンが刑務所に駆けつけて「ヘンリー、どうしてこんなところにはいっているんだい？」と聞くと、ソローは「あなたこそどうして外にいるんです？」と応じたという話がある（『森の生活』岩波文庫の解説から）。また、奴隷制度に反対して少数で武力に訴え、鎮圧され処刑された白人のジョン・ブラウン大尉という人物を弁護して、「そもそも、善良で勇敢な人間が多数派を占めたことなど、かつてあったでしょうか？」と大衆に向けて語るなど、国家よりも個々の良心を尊重する思想が後世の「抵抗者」を勇気づけた。ソロー自身も奴隷制度をきびしく批判し、南部からの逃亡奴隷がカナダへ脱出するのをひそかに援助していたという。

一粒の麦、もし死なずば

紛争にテロ。憎しみの連鎖を断ち切れずにいるこの地上で、一粒の希望の種のような記事を六月末［二〇一七年］の新聞でみた。

南米コロンビアで、半世紀にわたる闘争を続けてきた反政府ゲリラ組織が、政府との和平合意にもとづいて武装解除を終えた。自動小銃など多くの武器が国連派遣団に引き渡され、約七〇〇〇人のメンバーは戦闘服を脱いだ。

その一人の言葉がよかった。

「敵を殺す生活から、子を育て、種をまく人生が始まる」。一二歳で戦争孤児となり、戦闘員になった三〇代の男性だという。

国民どうしが殺し合った歴史と憎しみの克服が容易なはずはない。しかし、そこには未来から差し込む光がある。和平を導いた同国のサントス大統領には昨年のノーベル平和賞が贈られている。そして、これを「明」とするなら、平和賞をめぐる「暗」のニュースが、同じ本紙紙面に並ぶように載っていた。

ある。

「西側で死にたい」と見出しにあった。獄中で末期がんを病む中国の民主化活動家、劉暁波氏が欧米への移送を望んでいると記事は伝えていた。しかし望みはかなわぬまま、二週間後に拘束下で死去したのは周知のとおりである。

当たり前のことだが、ノーベル平和賞は栄誉の裏に不幸をはらむ。戦乱でも抑圧でも、事態が深刻で、虐げられた人々が多いほど衆目を集める。ときには受賞者自身が苦難を象徴することがある。

平和賞の歴史をひもとくと、獄中で受賞し、しかも獄死した人物が劉氏の前に一人だけいる。『カール・フォン・オシエツキーの生涯』(加藤善夫著)という本にいきさつは詳しい。台頭するナチズムに立ち向かった、ドイツの言論人にして平和運動家だった。

身に危険が迫るなか、周囲は亡命を勧めたがオシエツキーはかたくなに拒み続けた。その理由を大意こう述べている。

「国境を越えてしまった者が故国に叫びかけても、その声はうつろである。その者は外国の宣伝スピーカーの一つになってしまう。有効に闘うことを望むなら、国内にとどまって普通の人々と運命を共有しなければならない」

同じ志を、劉氏も持っていたのだと思う。天安門事件のときは、「安全地帯」であったアメリカから忠告を振り切って帰国した。事件によって投獄されたが、釈放後も亡命の道は選ばず執筆活動を続けた。発表文の末尾には年月日と「北京の自宅にて」と記すのが常だったという。

さかのぼれば、オシエツキーへの授賞はヒトラーを激憤させ、のちにノーベル賞委員会の委員は全員ナチスに逮捕された。しかしこのとき示された反ファシズムの先見性と勇気は、第二次大戦後に「永久的な功績」とたたえられることになる。

片やその時代、欧州諸国の指導層は急伸するナチスに優柔不断な態度をとり、それがひいては「民主主義の敵」に取り返しのつかぬ弾みをつけさせたとされる。


五年前のこと、アウンサンスーチー氏がノルウェーのオスロでノーベル平和賞の「受賞演説」に立った。一九九一年の受賞のときには軍政下のミャンマーで自宅軟禁を強いられていて、式に出席できなかった。祖国に民主化が兆《きざ》すなかで二一年後の登壇がかなえられた。

そのような日が、劉氏に来ることはなかった。だが抑圧の苦境のなかで「最大の善意をもって政権の敵意に向き合う」と述べていた言葉に、多くの人が非暴力抵抗の気高さを見た。時代も状況も異なるが、ノーベル平和賞の歴史において中国政府は、ナチス・ドイツと並ぶ汚名を刻んだといって過言ではない。

冒頭のコロンビアの話が一粒の希望の種なら、劉氏は一粒の麦であろう。

「一粒の麦、もし地に落ちて死なずば、ただ一つにてあらん、死なば多くの実を結ぶべし」。聖書の名高い言葉を恐れるかのように中国国内の締めつけは厳しさを増す。

一つのノーベル平和賞の背後に、どれだけの理不尽と悲嘆があるかを想像したい。国際社会は腫《は》れ物にさわるかのような優柔不断と沈黙で、自由と民主の普遍的な価値を損ねてはなるまい。それでは劉氏を二度死なせることになる。

（2017・7・30）

文学賞も科学各賞も無論すばらしいが、平和賞の存在感抜きにノーベル賞は語れまい。とりわけ人道、抵抗、不屈といった言葉を体現する人物に贈られると き、輝きはいっそう増す。賞の栄誉はそうした人々の声の浸透力を倍加する。「夫は大きなマイクを持つようになりました」。これは、アウシュビッツを体験し、ホロコーストの記憶を伝え続けたユダヤ系米国人の作家エリ・ウィーゼル氏（一九八六年受賞）の妻が、受賞の前と後を比べて語った言葉である。もう一つ他の賞と異なる点を挙げるなら、栄誉の裏に苦しみ、悲しみが存在することだろう。一九〇一年の第一回が戦場から生まれた赤十字の創始者、スイスのアンリ・デュナンに贈られたのは象徴的である。「どんな場合でも人間が人間らしく扱われることを求めて」という一貫した意思がデュナンにはあった。

「あるべきアメリカ」を求める人々

アメリカとは、最高裁判所の長官がこんな名言を残す国でもある。

「私はいつも新聞をスポーツ面から開いて読む。そこには人間の成し遂げたことが載っている。一面は人間のしでかした失敗ばかりだ」

ことばの主、故アール・ウォーレン氏は米司法界の大重鎮で、ケネディ大統領暗殺を調査した「ウォーレン委員会」にもその名を残す。人間社会の暗部を見てきた人であればこそ、スポーツの持つ明るさへの憧憬《しょうけい》があったのだろうか。

ウォーレン時代の最高裁はリベラルで知られた。一九五四年には公立学校での白人と黒人の隔離を違憲とする歴史的な判決を下す。それは「第二の奴隷解放宣言」とも称されて黒人を勇気づけ、公民権運動のうねりを生みだしていった。

調べてみると、冒頭の言葉は現役の長官だった一九六八年七月ごろに語られているようだ。この年は、四月に黒人指導者のキング牧師が、六月にはケネディ大統領の弟で大統領選をめざしていたロバート上院議員が相次いで暗殺され、大きな一面ニュースになっていた。言葉の奥には、社会をゆるがす暴力への心痛が透けて見えるようにも思われる。

時は流れて、そのキング牧師暗殺以来ともいう抗議活動と緊迫が、日々伝えられる米国である。奴隷制度以来の人種差別に立ち向かってきたこの国の良心と正義を、あろうことか現職大統領が軽視するかのような言動に、社会の失望はあらわである。

トランプ氏の発言は、いちいち挑発的だ。中でもホワイトハウス近くでの抗議デモ参加者に向けて「（敷地に入れば）獰猛《どうもう》な犬と恐ろしい武器が出迎えていただろう」と威嚇《いかく》したツイートに、わたしは特派員時代の記憶を呼び起こされた。

「獰猛な犬」は、一九六〇年代の公民権運動弾圧の一つの象徴でもある。

もう一五年余り前になる。かつて運動が盛んだった南部のアラバマ州を取材してまわったとき、黒人デモに警察犬が襲いかかっている一連の有名な写真を、訪ねた先々で見せられた。当時を知る男性の一人は「屈辱がよみがえって苦しい」と顔をゆがめていた。警察の高圧放水になぎ倒される黒人の子どもたちの写真などとともに、今もなお忘れがたい。

そのときの取材で持ち歩いた『アメリカ黒人の歴史』（本田創造著）にあった黒人詩人ラングストン・ヒューズ（一九〇二―六七）の詩句を思い出す。

〈僕はかくさず言おう／アメリカはこの僕にアメリカであったことがない／けれども僕はここに誓うのだ／アメリカはそうなると！〉（木島始訳）

アメリカは自由と平等の国。しかし黒人の自分にアメリカはアメリカであってくれない――そんな意味だろう。時代は移ったが、多くの黒人は今も同じ苦悩を抱く。法的には平等を得ても実態は虐げられたままだ。だから「あるべきアメリカ」を求めて、人は叫ぶのである。

子どもはだれも夢を抱く。

白人警察官に首を圧迫されて死亡した黒人男性ジョージ・フロイドさん（当時四六歳）は、小学生の頃に「最高裁の判事」になりたいと作文に書いていたと、一部の米メディアが報じていた。当時の先生の回想だというが、その逸話《いつわ》が私に冒頭のウォーレン氏を思い起こさせた。

想像するに、フロイドさんは、学校で教わった正義や公正のまばゆさに子ども心を高ぶらせたのかもしれない。そして正義を実現できる判事に憧れたかもしれない。しかし自国の平等と公正の歪《ゆが》みを、みずからの悲劇をもって世界に示す結末になってしまった。

ウォーレン氏に話を戻せば、この人には痛切な悔いがあった。第二次大戦中にカリフォルニア州司法長官として日系人の強制収容につながる立ち退きを進めたことだ。このできごとは差別の汚点として米国の歴史に残る。「私は立ち退き命令と、それを支持した自分の証言を深く後悔している」と晩年の回想録に記している。

そんな自省ゆえだろう、黒人をはじめ少数者、弱者の勇気あるチャレンジへの敬意を常に忘れぬ人だったようだ。今の米国を見たら、トランプ氏の言動に眉をひそめて言うに違いない。

「一面は大統領のしでかす失敗ばかりだ」と。

（2020・6・14）

ヒューズの詩のタイトルは「アメリカを再びアメリカにしよう」で『ラングストン・ヒューズ詩集』（木島始訳、思潮社）所収。この詩は黒人ばかりではなく、〈僕は馬鹿にされのけ者にされた白人の貧農だ……僕は国土から追放されたインディアンだ、／僕はもとめる希望に摑みかかっている移住民だ……僕は機械に売りわたされた労働者だ〉といった言葉にみられるように、虐げられたり、弱肉強食の資本主義社会に締め付けられてあえいだりする誰しもが自由になれる「アメリカ」を希求する内容である。原題は「Let America Be America Again」。トランプ前大統領のスローガンだった「Make America Great Again」とは似て非なる理想と精神性を湛えるものだろう。

抗議のマスクと一編の詩

決勝までの試合数に合わせて七枚の黒いマスクを用意し、すべてを使い切って頂点に立った。マスクには警察官などの暴力で落命した黒人被害者の名前が一人ずつ、計七人記されていた。テニス全米オープンでの大坂なおみさんの思いの丈《たけ》を表現した行動に、胸に浮かんできたのは、やはりこの一編の詩だった。川崎洋さんの「存在」という作品で、詩の末尾はこう結ばれる。

「二人死亡」と言うな
　太郎と花子が死んだ　と言え

人は誰もその名前でいとなまれた人生がある。かけがえのない「存在」を数字の中に置き去りにするな、という含意の詩句であろう。それは他日の当コラムに書いた、シベリア抑留犠牲者の名を読み上げる追悼（一四四頁）にも通じるものがある。

忘れられることに抗う。思い出してもらう。知ってもらう。そして考えてもらう。大坂さんにも同じような意思があったことを報道で知った。

大坂さんの言動には、人に何かを気づかせるものがある。「あなたの身に起こっていないからといって、それが起きていないということにはなりません」。この五月［二〇二〇年］にツイッターで発信された言葉に、黒人への差別という域をこえて、他者の苦難への無知や無関心にはっとさせられたのは、わたしだけではなかったと思う。

大坂さんが優勝したあと、自宅の本棚から、米国の批評家で作家だったスーザン・ソンタグの『他者の苦痛へのまなざし』（北條文緒訳）を抜き出してみた。

こんな箇所に傍線が引いてある。

「彼らの苦しみが存在するその同じ地図の上にわれわれの特権が存在し、或《あ》る人々の富が他の人々の貧困を意味しているように、われわれの特権が彼らの苦しみに連関しているのかもしれない」。そのように洞察することが大切だと著者はいう。

「特権」とは富豪とか高貴とかいう意味ではない。たとえば、日本のようにまずは穏やかに統治された国に居住し、抑圧されたり、飢えたり、戦火におびえたりせず、遠くの人々の苦難をニュース映像などで視聴できる立場にいることをさす。つまり私たちのことである。

同情は無責任だとソンタグは言う。善意であっても同情は「われわれの無力と同時に、われわれの無罪を主張する」からだ。理不尽は私のせいではないし、私にはどうしようもない――そうした意識のことだろう。言われてみれば同情にはどこか甘美な諦念《ていねん》が含まれている。

思い浮かべるもう一編の詩がある。石川逸子さんの「風」という作品だ。次のような一節がある。

遠くのできごとに
　人はうつくしく怒る

自分からは遠い理不尽に対して人は美しい正義感を抱く。だがそうしたときの怒りや、他者の痛みへの共感は、感傷や情緒のレベルに終わりやすい。思えば人種差別について、わたし自身どれだけ主体的に考えられているだろうか。大坂さんのリアルな行為を映画のシーンのようにいっとき心地よく消費して終わらないよう、ここは自問しなければなるまい。

チャプリンの名作「独裁者」が米国で公開されて八〇年になるという。世界にファシズムの暗雲が広がった時代、映画の結びのヒューマニズムあふれる名高い演説は多くの観衆の心を打った。「わたしたちは、他人の不幸によってではなく、他人の幸福によって、生きたいのです」――。時をへた今も演説の一語一句が胸に響く。言葉の輝きが失せないのは、しかし、おびただしい「理不尽な不幸」が地上から消えていない証しでもあろう。どの国に生まれたか、どんな肌の色、どの性で生を享《う》けたか――そうしたことによって人としての尊厳がひび割れてしまう現実は二一世紀になっても続いている。

大坂さんの「抗議のマスク」には、スポーツにふさわしくないといった批判もあると聞く。しかし勇気とともに行動に移した胸中には、こんな言葉が鳴っていたのではと想像したくなる。

「君が他人の始めるのを待つ限り、誰も始めはしないだろう」
反戦の哲学者、フランスのアランが残した忘れがたい真実である。

（2020・9・27）

アランの言葉は『裁かれた戦争』（白井成雄訳、小沢書店）所収の「否ということ」の中で述べられる。アランは平和主義者として知られるが、第一次大戦に四六歳でフランス軍に志願した。平和主義者は卑怯者ではないと証明するため、平和主義者であるためには戦争を体験する必要があると考えた、など理由はいくつかあるらしい。一兵卒の体験をふまえて書かれたこの著作はどこを読んでも非戦の書である。戦争というものは国の外部からだけでなく内部からも来る。好戦的なプロパガンダや情念に取り込まれず、あなたが率先して「否」と言いなさい——などと説く。「攻撃命令を下しながら先頭に立たない人間を想像してみるがよい」といった、指揮官や権力者らエリートたちの「まやかし」への批判も鋭い。

無類の人間好きが潤した荒野

テロと暴力の背後には貧困の荒野が広がっている。それをどう沃野《よくや》に変えていくか。武力によって成しうることの限界とまやかしを、知りつくしていた人だった。アフガニスタンで凶弾に倒れた中村哲《てつ》さん（享年七三）を惜しむ声は、年をまたいで止《や》むことがない。

悲報を聞いて、その活動と人柄を初めて知った人も多かったのではないか。自分がそびえ立つことを欲してやまない指導者たちが「腕力」を競い合っている時代を、黙々と見返しているかのような実践を、この人は為《な》してきた。

二〇〇八年、同じペシャワール会のスタッフで、農業支援の活動中だった伊藤和也さん（当時三一歳）が殺害された。近在の人たちが八〇〇人も参列した現地での葬儀で、中村さんは述べている。

「外国人はいつでも逃げることができます。しかしこの廃墟《はいきょ》と化した土地にしがみついて生きなければならぬアフガン人は、どこにも逃げ場所がありません」

それは決意でもあっただろう。中村さんは戦乱と干ばつの地にひとり残り、人々とともに用水路を拓《ひら》き、延ばし続けた。同会のＤＶＤを見ると、通水して潤った土地には青々と麦がそよぐ。「日本人」に感謝する村の古老の表情が、実にいい。

そうした中村さんを、親交の深かった作家の澤地久枝さんが、かつて「無類の人間好き」と評していた(二人の共著『人は愛するに足り、真心は信ずるに足る』から)。平凡な表現にみえて、深い敬愛がこもる言葉だと思う。

「人類を愛する人間嫌い」という一節が、ポルトガルの文人フェルナンド・ペソアの『不穏の書、断章』(澤田直訳)という本に出てくる。どのような意味か。作者は、人類に対しては強い愛を抱きながら、一方でエゴイズムにとらわれる自分を、醒《さ》めた目で見つめている。つまり「人間好き」であることは、言うほど簡単ではない。

これには似た言葉があって、港湾労働をしながら思索を深めた米国の哲人エリック・ホッファーが言っている。「人類を全体として愛することのほうが、隣人を愛するよりも容易である」「人類」という抽象に対して、一人ひとりの人間は具体的な現実である。人類は美しいが人間は往々にして厄介だ。自戒をこめて言うほかないのだが、「人類を愛する人間嫌い」はだれもが心の内に抱えている皮肉な背反といえる。

中村さんは「人類」という大きな言葉の先にある、個々の生身の人間と、とことん対等に関わってきた。救う側に立とうとする援助ではない。かつてアフガニスタンを舞台に優れた映画を撮ったイラン人の名匠モフセン・マフマルバフ監督が言っていたことを思い出す。

「もしも人びとの足もとに埋められたのが地雷ではなく小麦の種であったなら、数百万のアフガン人が死と難民への道を辿《たど》らずにすんだでしょう」

中村さんにも同じ思いがあった。だからこそ用水路に命をかけてきた。稀有《けう》なヒューマニズムである。しかしそれは大仰な称賛の言葉より、「人間好き」と表されるのが一番ふさわしく思われる。

アフガニスタンは二〇〇一年まで、しばらく世界から忘れられた国だった。

石油もガスも出ないような国に世界の関心は薄い。援助は細り、貧困と暴力がはびこって人心は荒《すさ》んだ。そして米国で9・11テロが起き、テロリストとの関連で表舞台に引っ張り出されたとき、人々の頭上に降ってきたのはイスラム憎しの爆弾だった。

その後も病院への誤爆や副次的な攻撃被害など、民間人の死傷は後を絶たなかった。同じ地上に暮らしながら、自分たちを守るために無辜《むこ》の誰かを殺傷して、やむなしとする。それが「テロとの戦い」の偽らざる一面だろう。

中村さんが澤地さんとの対談で語っていた言葉が、ずっと心に残っている。

「自分の身は、針で刺されても飛び上がるけれども、相手の体は槍《やり》で突いても平気だという感覚、これがなくならない限り駄目ですね」

人として国としての、あらゆる行いへの警句となって響いてくる。
言葉の奥に、平和憲法を尊んだ中村さんの確かな意志があることを疑わない。

（2020・1・19）

マフマルバフ氏の言葉は、映画「カンダハール」で賞を受けた記念に9・11テロの翌月にユネスコ本部でおこなったスピーチの一節。短く感動的なスピーチは「この賞に与えられるものがパンであったなら、飢えたアフガニスタンの人びとに分け与えることができたでしょう。もしこの賞が雨であったなら、アフガニスタンの乾いた地に降らせることができたでしょう」と続く。また、その半年前に書いたテキストの中で同氏は「タリバーンは遠くから見れば非合理的で危険なイスラム原理主義の潮流だが、近くで一人一人を見れば飢えたパシュトゥン人の孤児である」と述べていた（パシュトゥン人はアフガンの主要民族）。無慈悲に乾いたその大地を命を張って水で潤したのが中村さんだった。

Ⅳ

戦争は人間のしわざ

八月の赤子は今も宙を蹴る

きょうの当欄の見出しに「ん?」と思ったかたは、俳句への興味関心が深いかたであろう。現代を代表する俳人のひとり宇多喜代子さんの〈八月の赤子《あかご》はいまも宙を蹴る〉を、ご本人の了解を得てそのまま拝借した。

盛夏の赤ん坊の、あふれる命をうたった一句だろうか。違う。この子はもう動かない。それも真っ黒に焼かれて。

太平洋戦争の最末期、山口県の徳山は夜の空襲で五〇〇人近くが落命した。家も周辺も丸焼けに焼かれながら生き延びた当時九歳の少女宇多さんは、一夜明けた光景を人に語るとき、いまも心身が震える思いに捕らわれるという。

なかでも瞼《まぶた》から消えないのは、手を空に伸ばし、足で宙を蹴るように果てていた赤子だった。痛ましい残像に、報道写真で見た中東の惨状が重なったのは一四年前。黒こげの赤ん坊があの子と同じ姿で死んでいた。二つのなきがらを重ねるように詠んだのがこの一句である。

宇多さんは思う。あの子も中東の子も絶命の間際に手と足を伸ばして母親に救いを求めたのではないか。「それに赤ちゃんというのは足で意思を表すものですよ。抱っこしていると足で蹴っていやだと言ったり、足でものを言うのです」

小さき者が宙を蹴る姿は、炎に巻かれた恐怖、死への抗《あらが》い、本能的な怒りと悲しみ……そうしたもろもろを叫ぶ、言葉以前の言葉であったかもしれない。戦火はいつも「無辜《むこ》」の二文字を、大義やら正義やらの名の下に踏みにじる。

戦争のむごい歴史の中でも、無差別爆撃は極みといえる。この蛮行が第二次世界大戦期に大手を振った。爆撃に倒れた母と子を悼《いた》んだ詩の一節を引く。

〈骨と肉とはコークスとなり、かたくくっついて引離せない。ああ、やさしい母の心は、永久に灰にはできないのだ〉

これは日本軍が爆撃を繰り返した中国・重慶の惨状である（郭沫若《かくまつじゃく》作、上原淳道訳）。

ドイツも米英軍の爆撃を浴びた。ドレスデン空爆下の悲惨な目撃談が手元の本にある。

「彼女は包みのようなものを抱えていました——赤ん坊でした。彼女も走っていました。でも、途中で転んでしまいました。その拍子に赤ん坊は放り出され、弧《こ》を描いて炎のなかに消えてしまいました」（ロバート・M・ニーア『ナパーム空爆史』から）

文章からさえ目をそむけたくなる。そのドイツもまた他国にさきがけてスペインのゲルニカで無差別爆撃をおこなっている。吹き荒れる非人道の行き着いた先が広島と長崎だった。この五月［二〇一六年］に広島を訪れたオバマ米大統領は「死が空から降ってきて……」と語った。しかしそれまでも、通常兵器による死は世界各所に降り注がれたのである。戦争はいったん始まれば、人間のあらゆる魔性をひきずり出さずにはおかない。

国と国が戦いを構え、殺したり殺されたりする用に人をあてててきた歴史に、人は決別できるのだろうか。それを先取りしたのが平和憲法ではなかったか。理想ばかりを純情に叫ぶつもりはない。されど、現実はこうだと「現実」ばかり振り回していたら、殺し殺されないという不戦の決意はやせ細って風化してしまう。昨今の政治状況にひとしお思う、鎮魂の八月だ。

あすは終戦の日。この日が盆と重なるのは、戦没した人の魂がそうさせたかと不思議に感じることがある。迎え火、送り火、灯籠《とうろう》流し――戦争の記憶も相まって、夏のきわみのこの数日は、列島の情念がいちばん深まるときである。

いまや戦争というものを知らない世代が日本の人口の八割を占める。ひとえに不戦の歳月の賜《たまもの》だが、戦争を知らないことを知っていなければ人は危ない。軽く見がちになって、想像力は失われる。やっかいな隣国への敵意や、「イスラム国」など過激組織への不安をはらんで、わかりやすい威勢のよさが肩で風切ることになりかねない。

およそ戦争は、大人の男たちが始め、若者を死地に送る。そして一番の犠牲者は罪なき子らだと言われてきた。宇多さんの句に戻れば、今このときにも世界の戦闘地で赤ん坊が燃えているかもしれない。赤子に宙を蹴らせるなかれ。非戦を掲げる日本の、真の役割を考えたい。

（２０１６・８・１４）

ライト兄弟が有人動力飛行に成功したのは一九〇三年一二月一七日。一二秒間浮いて三六メートル飛んだ。一一年後には欧州で第一次世界大戦が始まり、飛行機は瞬《また》く間に新たな兵器へと進化していった。開戦の年の八月、ドイツ軍の飛行機がパリ上空に現れ、鉄道駅をねらって小型爆弾を投げ落として女性一人が死んだ。このできごとあたりが「無差別爆撃」の始まりだったらしい。大戦末期になってライト兄弟の弟オービルは「飛行機が戦争をこれほどまで恐ろしいものにしたので、どこの国も二度と戦争を起こそうとはしないであろう」と述べたそうだ（田中利幸『空の戦争史』から）。しかし人間の好戦性、暴力性がナイーブな予想を超えていたのは、その後の歴史が示すとおりだ。

炎の記憶、下町に刻まれた日

先日亡くなったドナルド・キーンさんとともに、エドワード・サイデンステッカーさん(二〇〇七年没)は日本文学に多大な貢献をした研究者だった。この人の名訳なしに川端康成のノーベル文学賞はなかったとさえ言われている。

東京の下町、谷中《やなか》に古くからの墓地があって、サイデンステッカーさんはよく散策をした。散策するうちに、あることに気づく。「大正十二年九月一日と昭和二十年三月十日に死んだ人々の墓がいかに多いか」と晩年の随筆集『谷中、花と墓地』に書き残している。

大正の日付は関東大震災、昭和のほうは東京大空襲である。

二二年の歳月をはさんで東京の下町を炎で包み、ともに言葉に尽くせぬ惨状をもたらした。片や天災である。そしてもう一方は戦災だから、二つは異質な災厄だ。しかし米軍は、関東大震災による木造家屋密集地の甚大な火災被害に早くから注目して空爆の参考にしたという。その意味において二つの日付には暗いつながりがある。

手もとの文献によれば、米軍は日本のヒノキに似た建材を用意し、畳や家具にいたるまで忠実に再現した家屋を建てて長屋街を造った。木材の含水率まで調整したり、雨戸を開け閉めして燃え方の違いを確かめたりして、きわめて周到に焼夷弾《しょういだん》の攻撃実験をおこなったという。そして三月一〇日未明、二七九機のB29が投下した三〇万発を超す焼夷弾に東京の下町は焼き尽くされる。一夜にして約一〇万人の命が奪われたのだった。

日本の都市を狙った米軍の周到さには「非情」という語がふさわしい。効果が計算された冷酷な破壊だ。それに対して日本は、丸腰の庶民を、お決まりの精神論で立ち向かわせた。防空法は国民に退避の禁止や消火義務を課していた。「逃げるな、火を消せ」である。

戦局が険しくなると、「焼夷弾には突撃だ」といった標語も張り出されたという。非科学的で無責任な精神主義は人々を焼夷弾の餌食《えじき》にしていく。逃げれば助かったであろう人まで火に巻かれ、東京だけでなく全国の都市で空襲の犠牲を増やすことになった。

新聞にも痛烈な反省がある。

国が言うままに精神論で国民の尻をたたき続けた。さらに「火と闘って殉職《じゅんしょく》」「死の手に離さぬバケツ」といった類いの「防空美談」をさかんに報じたのも新聞だった。東京大空襲に続いて名古屋、大阪なども空襲を受ける。直後の三月二〇日、朝日新聞の社説は「空襲に打克《うちか》つ力」と題してこう言うのである。「われらもまた本当に爆弾や焼夷弾に体当たりする決意を以《もっ》て敵に立ち向かおうではないか」。同じ新聞の後輩として深く自戒し恥じ入るほかはない。

上空からの無差別爆撃を「眼差《まなざ》しを欠いた戦争」と言ったのは、軍事評論家の前田哲男さんである。殺す側も殺される側も、互いを見ることがないからだ。

「（殺される人々の）苦痛にゆがむ顔も、助けを求める声も、肉の焦げる臭いも、機上の兵士たちには一切伝わらなかった」（『戦略爆撃の思想』から）。知覚を欠くなかで加害の意識は薄れ、殺戮《さつりく》のむごさばかりが増幅していく。日本軍もまた中国を繰り返し空爆した。

第二次世界大戦、ベトナム戦争など二〇世紀の空爆をへて、二一世紀は無人攻撃機が殺意を運ぶ。たとえば米国では、「操縦士」は国内の安全な基地に出勤し、遠隔操作で遠い紛争地の「敵と見なした人間」にミサイルや爆弾を撃ち込む。

かつて爆撃照準器の下の人間を「点」と見た非人間性はいま、ピンポイント攻撃を免罪符にしつつ、無人機のモニター画面に受け継がれたようである。それは人間の命へのまなざしを欠くAI（人工知能）兵器へと続く道に他なるまい。

サイデンステッカーさんに話を戻せば、下町を愛したこの人は湯島に長く暮らした。谷中の墓にかぎらず、東京の下町はいまも「炎の記憶」を静かにとどめている。きょうは三月一〇日。供養の碑や地蔵には様々な思いが捧げられることだろう。

炎の記憶は世界の幾多の地にも刻まれている。空襲を、戦争を、鳥の目ではなく地べたの人間の目で考える日にしたい。

優れた自由主義者で知られ戦時中に『暗黒日記』をつづった清沢洌《きよし》は、終戦の年の一月二日の日記で徳富蘇峰《そほう》の書いた新聞記事を批判している。蘇峰の記事はなんと敵弾が東京に落とされるのを期待するものだった。帝都の真ん中に落ちる敵弾こそが国民を覚醒させ一億皇民の心構えを固くする、という書きぶりに、このような無責任があるかと清沢は厳しい言葉を投げている。蘇峰は国粋主義と戦争の旗を威勢よく振ってきた言論人だった。「徳富は戦争開始の責任者でありながら、その（戦況悪化の）罪を国民にきせているのである」。この記述から二カ月後に東京の下町は焼尽する。平和への意思を抱き続けた清沢は終戦を待たず同年五月に五五歳で惜しくも病没した。

（2019・3・10）

ＡＩが引き金を引くとき

その名称は無機的にして無表情だ。

「自律型致死兵器システム」。およそ耳慣れないが、人工知能（ＡＩ）を搭載し、機械独自の認識と判断によって相手を殺傷する兵器のことをいう。平たく言えば「殺人《キラー》ロボット」である。

倫理面からの否定論や、感情に左右される人間よりも信頼できるといった肯定論がせめぎあう中、いささか古いが日英の作家二人の戦場体験に連想が飛んだ。

一人は大岡昇平である。代表作の一つ『俘虜記《ふりょき》』の中に、フィリピン戦線で敵兵を撃たなかった場面がある。

マラリアに倒れ、撤退からはぐれて草むらに潜む大岡の視野に、若いアメリカ兵が入ってきた。至近距離、頬の赤さまでわかる。撃てば必ず当たる。無意識に銃の安全装置を外したが、ついに撃たなかった。米兵は視界から去り、大岡はつぶやく。「さて俺《おれ》はこれでどっかのアメリカの母親に感謝されてもいいわけだ」

英国のジョージ・オーウェルも撃たなかった体験を書いている。

一九三〇年代のスペイン内戦に参加したオーウェルはある日、ズボンを両手でたくし上げながら慌てて走る一人の敵を射程にとらえる。だが引き金を引かなかった。ズボンをたくし上げている人間は私と同じような一個の人間であって、どうしても撃つ気になれなかったと回想している（「スペイン戦争回顧」から）。

これが殺人ロボットだったら、アメリカ兵の母は戦死報に泣き、ズボンの男は地に転がっただろうか——と想像してみる。

兵器・武器の人類史をひもとくと、古来よくもこれほどの情熱を、殺戮と破壊に捧げてきたものだと驚かされる。文明の歴史とはおおむね武器の歴史、とも言われるほどだ。

そうした歴史の中で、ＡＩ兵器は、火薬、核兵器に続く「第三の革命」になるおそれが指摘されている。従来の兵器はいかに高性能で強力でも人間が使う「道具」にすぎなかった。しかしＡＩは、道具でありながら戦闘行為の「主体」として人間に取って代わる可能性をはらんでいる。独自の「意思」で敵を認定し、攻撃して殺すところまでやってしまう。ＡＩ兵器の極めつきの殺人ロボットはまだ開発途上だとされる。しかし米英やロシア、イスラエルなどがしのぎを削っていて、本格的な実用化は遠からずやってくるだろう。

自国兵士や一般市民の死傷を減らせるといった主張もあるが、逆にそのことで戦争への抵抗感が薄れ、武力行使のハードルを下げてしまう心配もある。今年［二〇一八年］の八月には規制を話し合う国連の会合が開かれたが、米ロなどは歯止めに消極的な姿勢だったという。

ひとたび戦場に投入されれば、原爆に続くパンドラの箱を開けることになりかねない。一度開いてしまった箱を封じることの至難は、核兵器が実証済みである。

谷川俊太郎さんが「兵士の告白」という短い詩をつくったのは、ベトナム戦争が泥沼化していったころだ。〈殺スノナラ／名前ヲ知ツテカラ殺シタカツタ〉と始まり、〈殺スノナラ／機関銃ナンカデナク／素手デ殺シタカツタ〉と続き、〈殺スノナラアアセメテ／ナキナガラ殺シタカツタ〉で終わる詩句は、殺す側の暗い葛藤を稲妻のように照らしだす。

人間は実のところ、戦場にあっても容易には人を殺せないらしい。第二次大戦中に米軍は大がかりな調査をした。すると接近戦で敵に発砲した歩兵の割合は驚くほど低かったという。その後、特殊な訓練を兵士に施して、発砲率を九〇％まで高めたのがベトナム戦争だった（グロスマン『戦争における「人殺し」の心理学』から）。

ほとんどの人間には同類である人間を殺すことに強烈な抵抗がある、と著者は言う。となれば、そうした人間的要素をそぎ落としたのが殺人ロボットということになるだろう。人間（の命）へのまなざしを欠くＡＩに、生殺与奪の決定権を握らせることの意味を考えずにはいられない。

原爆の開発と使用を悔やみ抜いたアインシュタインが、投下数カ月後に言っている。「弾丸にたいしては戦車が防御手段になりますが、文明を破壊しうる兵器にたいする防御手段などありません。私たちの防御手段は法と秩序です」

民生品への利用であっても科学・技術の発展には恩恵と呪いの両面がある。呪いには規制が要《い》る。ＡＩ兵器をめぐるきわどい議論を、専門家だけの関心ごとにしておく時ではない。

（２０１８・１０・１４）

戦闘において相手との「距離」は大きな意味を持つという。「離れて戦おうとするのは人間の本能だ。最初の日から人はそのために努力し、その後もずっと努力しつづける」。グロスマンの本には、一九世紀のフランス陸軍大佐アルダン・デュピクが著書『戦闘の研究』で述べている言葉が紹介されている。素手→ナイフ→銃剣→拳銃・ライフル→砲弾→ミサイル……と、離れるほどに加害への抵抗感や現実感は薄れるからだ。「離れて戦う努力」は今や、たとえば米国内から無人機を遠隔操縦して、一万キロ以上離れた他国を攻撃できるまでになった。敵を認識し、引き金を引く判断さえ人が関与せずＡＩに任せる「殺人ロボット」は、抵抗感の希薄さにおいてその上を行くものだろう。究極の「距離」といえる。

数に見失う「人間」を呼び戻す

ポーランドのノーベル賞詩人シンボルスカに『大きな数』という詩集(一九七六年刊)があって、同じ題名の詩は次のように書き出される。

この地上には四〇億の人々/でもわたしの想像力はいままでと同じ
大きな数がうまく扱えない/あいかわらず個々のものに感激する

詩句はスラブ文学者沼野充義さんの訳による。「大きな数」に塗り込まれることで個々の人間は顔を奪われ、抽象概念に変えられてしまう。いわば統計。この詩は、そうした全体性にあらがい、人間個別の存在と価値を守ろうとする詩人の意思の表出であろうと、沼野さんはいう。

二〇二〇年、戦後七五年の夏。

八月二三日夜から二五日の夜にかけて、地味ながら意義深い追悼のイベントがあった。敗戦後のシベリア抑留の犠牲者のうち、判明している四万六三〇〇人の名前を遺族や市民が交代で四七時間かけて読み上げていった。シベリア抑留者支援・記録センター(東京)が初めて企画し、動画サイトなどで同時配信された。

シベリア抑留は忘れてはならない昭和の歴史だ。約六〇万人の日本兵や軍属、民間人が強制労働のためにソ連に捕らわれた。酷寒の異土に果てた人は約六万という。名前の読み上げは、「大きな数」として語られがちな死者を、抽象の海から呼び戻すように丸二日間続けられた。

名前を読むという追悼に、詩人の石原吉郎(一九七七年没)を想起する人もいるだろう。八年におよぶシベリア抑留から生還した石原はこんな言葉を残している。

「死においてただ数であるとき、それは絶望そのものである。人は死において、ひとりひとりその名を呼ばれなければならないものなのだ」(「確認されない死のなかで」から)。むごい多くの死を見てきた人の、痛みと怒りが胸を突く。

石原と同じ思いを実行したのが新潟県の故・村山常雄さんだった。自らも抑留され風雪と飢餓に四年間耐えた。読み上げられた四万六三〇〇人の名簿は、村山さんが教師を定年退職後に心血を注いでつくったものだ。膨大な資料を手作業で突き合わせ、死亡地や埋葬地まで、一一年かけて分かる限りのことを調べ上げた。

全氏名を載せて二〇〇七年に自費出版した『シベリアに逝きし人々を刻す』は厚さ五センチ、重さは二キロにもなる。厚生労働省のデータよりも頼りにされる史料だという。かつてそれを「紙の碑《いしぶみ》」として天声人語に書いたご縁で、二〇一四年に他界されるまで何度か便りをいただいた。

村山さんと詩人の石原は「個」への深いまなざしでつながっている。誰が死んだのか。それを抜きにして数だけを言うのは「非礼」であると言っていた。「大きな数」という抽象を退け、死者の体温さえ感じ取るような心性を持ち続けた人ではなかったかと、あらためて村山さんを思い出す。

コロナ禍で緊迫していた五月半ば、歌人の俵万智さんの新作短歌を本紙「折々のことば」が紹介していた。

〈発症者二桁に減り良いほうのニュースにカウントされる人たち〉

数字が減った日には、発症者は「減ったという良いニュース」として数えられる。そんな皮肉を含む一首であろう。全体にとっては良いニュースでも、個々の発症者には深刻なことなのに——という裏返しの示唆があるように思われる。歌にひそんでいるのは、ニュースの受け手である自身も含めた「数える立場」への小さな違和感なのだろうと推察する。

レマルクの名作『西部戦線異状なし』の、よく知られた結末を連想する人もいよう。主人公が戦死した日はきわめて穏やかで、司令部報告は「西部戦線異状なし、報告すべき件なし」の言葉で尽きていた。「大きな数」ばかりではない。小さな数であっても、数として見られるかぎり個々の人間の存在は見失われやすい。

コロナ禍によって世界で400000000(四億)人分の仕事が失われたという。冒頭の詩に戻れば、ゼロの多さに想像力はなかなか追いつけない。しかしすべては具体的なことなのだ。難しいことではあるが、数の中に人を想いたい。

（２０２０・９・６）

＊俵万智さんの短歌は歌集『未来のサイズ』では〈感染者二桁に減り良いほうのニュースにカウントされる人たち〉となっている。

冒頭の詩は沼野充義訳のシンボルスカ詩集『終わりと始まり』の解説文中に挿入された「大きな数」の部分訳。文中には「ユートピア」と題する次の詩も紹介されている。〈こんなに魅力があるのに、島には人がいない／浜辺に見える小さな足跡は／一つ残らず海のほうに向かっている／まるで人はここから立ち去るだけで／深みに沈んで二度と帰ってこないかのよう……〉。彼女は全体主義的、ユートピア的なものの引力とたたかってきた詩人である。ユートピアめいた「明るさ」「健全さ」は分かちがたくディストピアと表裏にある。祖国ポーランドにとって東西にあった全体主義国家のソ連とドイツに侵攻された第二次大戦は厳しい国難となった。憎悪と死に満ちた時代を生きた詩人は〈誰もが隣人のいない祖国を持ちたがった／そして人生を生きぬくなら／戦争と戦争のあいまにしたいと思った〉という悲痛な詩句も残した。

「E＝MC^2」を刻む慰霊碑

初夏の一日に訪ねた広島の平和記念公園は、やわらかな風と緑の中にあった。

そのはずれに立つ、不思議な慰霊碑を初めて見たのは、もう十数年も前のことだ。花崗岩《かこうがん》に三人の女子生徒の姿が彫られ、中央のもんぺ姿の少女が抱える手箱には「E＝MC^2」と刻まれている。アインシュタイン博士が導いた名高い等式である。

Eすなわちエネルギーは、質量（m）×光速（c）の二乗に等しい。簡潔にして美しいその式は、一方で核爆弾の原拠でもあった。「とても小さな質量が、とても大きな量のエネルギーに変換されるかもしれないことを示しています」とは博士の言葉だ。天才の理論は米国によって実践され、広島と長崎は壊滅する。

その惨事から三年後につくられた、旧制広島市立高等女学校の慰霊碑である。

なぜ慰霊碑にこの等式なのか。あらためて調べると、占領軍の統制を受けて「原爆」の二文字が禁句視された戦後しばらくの社会状況が浮かび上がる。

惨状は伏せられ、直接的な表現や批判は許されない時代だった。碑の原型をつくった彫刻家は京都に湯川秀樹博士を訪ねて原子力について教えを乞い、この式で原爆を象徴したと伝えられる。レリーフに込めたのは、悲痛な祈りと慰めであっただろう。当初は慰霊碑と呼ぶのもはばかられ「平和塔」と称していたという。

清らかに昇華された碑と裏腹に、女子生徒らの最期は無残をきわめた。碑の傍《かたわ》らに立ってまっすぐ原爆ドーム上空を仰ぐと、その間近さに心が凍る。爆心から五〇〇メートル前後。いま中空《なかぞら》で炸裂《さくれつ》すれば、火の玉は瞬時に私を焼くだろう。あの朝、市立高女の一、二年生約五四〇人は建物疎開の動員でこの付近にいた。だれ一人助かることはなかった。

一二歳から一四歳ほどの少女たちだ。髪も焼け、口は裂け、目の飛び出た死骸となって折り重なっていた――翌日に付近を探し歩いた家族の証言が残る。

材木町と呼ばれたその辺りには他校の生徒も多数動員されていた。「あたかも煮干魚《いりこ》を乾かしたように、誰とも分からない無数の死体が散乱していた」との目撃談がある。直截《ちょくせつ》な表現に、悲しみと非人道への怒りが、きりきりと湧く。

そこは今、平和記念公園になり、原爆資料館が立つ。この五月二七日［二〇一六年］には原爆を落とした国の現職大統領が、七一年をへて初めてやって来る。思惑含みの政治ショーではなく、無差別に消された幾多の命に「核廃絶」で報いる道程の、揺るがぬ足がかりとする決意は日米の政府にあるか――。

「安らかに眠って下さい　過ちは繰返しませぬから」で知られる原爆死没者慰霊碑も旧材木町の域内に立つ。オバマ大統領はここで献花する予定と聞く。

七年前、プラハでの演説でオバマ氏は「核を使用した唯一の保有国として行動する道義的責任がある」と述べ、ノーベル平和賞を受けた。しかしそれは感動的なスピーチに与えられた、いわば先物買いのような授賞だった。その後の動きは鈍い。広島では実際の行動につながっていくような言葉を聞きたい。それは「核兵器なき世界」をめざす行動の主語を、大統領自身が、来年の退任後もずっと担っていく決意と重なるはずだ。

そしてそのことは、昭和の戦争における責任に日本が真摯《しんし》に向き合うことと一対である。被爆した詩人、栗原貞子さんに「ヒロシマというとき」という詩がある。

〈ヒロシマ〉というとき
〈ああ　ヒロシマ〉と
やさしくこたえてくれるだろうか
〈ヒロシマ〉といえば〈パール・ハーバー〉
〈ヒロシマ〉といえば〈南京虐殺〉……

両手を合わせて女子生徒の碑に向き合うと、等式が刻まれた手箱は、かのパンドラの箱にも思えてくる。

アインシュタインはのちに、原爆製造を当時のルーズベルト米大統領に促す手紙に署名したことを「人生で大きな間違いを犯した」と悔いた。人間があけてしまった箱は人間が封じるほかはない。アメリカ大統領の歴史的訪問を歓迎し、核廃絶へと山を動かす意志を新たにしたい五月である。

（2016・5・22）

水田九八二郎《くわじろう》著『ヒロシマ・ナガサキへの旅――原爆の碑と遺跡が語る』によれば、占領下だった一九五一（昭和二六）年までに建てられた慰霊碑に「原爆」の文字はおよそ見られないそうである。旧制広島市立高女の慰霊碑の裏面には次のような碑文が刻まれている。「この碑は……国家の難に挺身《ていしん》した可憐《かれん》な生徒たちを『あなたは原子力（E＝MC²）の世界最初の犠牲として人類文化発展の尊い人柱となったのです』と慰めている姿をあらわしている」。これは当時の占領軍の検閲《けんえつ》や干渉を意識して記されたのかもしれないが、言葉のニュアンスが今の目で見れば歴史的受難の慰霊碑としてはいささか迎合的にも思われる。その当時は新聞社も、占領軍との摩擦を避けて円滑に新聞を出すことを優先した時代だった。

核兵器のむごさを射るまなざし

表情ゆたかなその顔を、春先からニュースで何度も見た。一三歳のときに広島で被爆したカナダ在住のサーロー節子さんである。一二月〔二〇一七年〕にはノーベル平和賞の授賞式でスピーチをするという。

サーローさんは、今年の平和賞を受ける国際NGO「核兵器廃絶国際キャンペーン」（ICAN《アイキャン》）の「顔」として国際会議で発言を続けてきた。三月に国連本部で語った証言は忘れがたい。

「広島を思い出すとき、認識不能なまでに黒ずみ、膨らみ、溶けた肉体の塊となり、死が苦しみから解放してくれるまでの間、消え入る声で水を求めていた四歳だったおいの姿が、脳裏に最初によみがえります」

核兵器のむごさをこれほどに訴える言葉があるだろうか。

サーローさんの証言を同僚記者の記事で読み、かつてどこかで似た言葉と行き合ったように思い、記憶をたどってたどり着いたのが、林京子さんの小説『祭りの場』の一節だった。長崎原爆のすさまじい体験を、三〇年の歳月をへて紡《つむ》いだ芥川賞受賞作には、こうあった。

「原爆は即死が一番いい」

「なまじ一、二日生きのびたために苦しまぎれに自分の肉を引きちぎった工員がいた」と文章は続く。いったんは助かったと思った者も、急性原爆症に苦しみ抜いて次々に死んでいった。

林さんは一四歳で被爆した。「人間を殺すのになぜここまで峻烈《しゅんれつ》な兵器が必要なのか」。むごい描写のなかに挿《さ》しはさまれた言葉には、尊厳をはぎ取られたおびただしい死を見た人の、核兵器の非人道性に向けたまなざしが光る。

その峻烈きわまる兵器の開発をリードして「原爆の父」と呼ばれたのは、米国の物理学者オッペンハイマーだった。

この人には、しかし悔恨があった。戦争が終わってホワイトハウスにトルーマン大統領を訪ねたとき、「自分の手が血に染まっている気分です」と訴えた。大統領はハンカチを取り出して、「拭いたらどうかね」と差し出したという。

この場面の子細は文献によって異なるが、ともあれトルーマンはオッペンハイマーの「良心」が気にくわなかったらしい。のちに国務省の高官にあてた書簡で「泣き虫科学者」とこきおろした。科学者の葛藤と政治家の冷酷、といった分かりやすい話ではあるまい。立場の違い以上に、ふたりの人間の想像力の違いだったかもしれない。それから時は流れて、いま、このシーンにいやでも重なる人物がトランプ大統領である。

初めての訪日のあいだは上機嫌だったが、笑顔の下からは鎧《よろい》がのぞいていた。おそらくは核をも含めた兵器や武器を、自国の雇用を広げて経済をうるおす、ひいては自分の人気を高める「金のなる木」と見ているのは記者会見からも明らかだ。

米国内の銃規制に後ろ向きなトランプ氏の持論から推し量れば、「武器を持つ悪いやつを止められるのは、武器を持つ良いやつしかいない」の論法になるのだろうか。北朝鮮に対して力ずくとなれば、深刻なダメージを受けるのは日本や韓国だが、安倍政権の追従《ついしょう》ぶりを見ると大事なときに「ノー」と言えるのか心配になる。トランプ氏への忖度《そんたく》からか、この政権は核廃絶への姿勢も被爆地を怒らせるほどに後ろ向きだ。

長崎への原爆投下の翌日、オッペンハイマーはふさぎ込んで、同僚にこう問いかけた。「広島や長崎を生きのびた人は、死者を羨《うらや》むだろうか」。落とした者の想像力と、落とされた者の地獄がここに重なっている。「原爆の父」はキノコ雲の下の非人道を正確に想像していた。

今年の二月一八日はオッペンハイマーの没後五〇年となる命日だった。あくる一九日に林京子さんは世を去った。亡くなったあと、文芸評論家の富岡幸一郎さんが本紙への寄稿文で、林さんからお聞きしたという言葉を紹介していた。

「わたくしいつも思うの、わたくしのものを読んでくださる方は、もうすでに読まなくていい人たちなんです。でも、引っ張ってきてでも読ませたい人たちは読んでくれないんですね」

遺《のこ》された言葉は、核兵器をめぐる一つの真実を静かに照らしている。読ませたい人々の顔が心に浮かぶ。核に対するモラルをこの国で緩ませないためにも。

（2017・11・12）

一九四五年七月一六日、米国ニューメキシコ州では太陽が二度昇ったと言われる。夜明け前、アラモゴードの荒野で巨大な火の玉が炸裂した。人類初の原爆実験だった。林京子さんは一九九九年に爆心地トリニティ・サイトを訪ねる。「原子爆弾の閃光《せんこう》はこの一点から、曠野《こうや》の四方へ走ったのである。……私は、地上で最初に核の被害を受けたのは、私たち人間だと思っていた。そうではなかった。被爆者の先輩が、ここにいた。泣くことも叫ぶこともできないで、ここにいた」。生命を生み、宿す大地こそ核の最初の犠牲だったと知り、林さんは大地の痛みを想像して震えた。そして、あの八月九日には流さなかった涙が私の目にあふれた、と記した（「トリニティからトリニティへ」から）。

ローマ教皇がかざした羅針盤

フランシスコ・ローマ教皇が長崎と広島でおこなったスピーチは、その温容と相まって胸に響くものだった。大地にしみ込む雨のように、人の良心の深みに降りていく言葉ではなかったか。

「今日の世界では、何百万という子どもや家族が、人間以下の生活を強いられています。しかし、武器の製造、改良、維持、商いに財が費やされ、(財が)築かれ、日ごとに武器はいっそう破壊的になっています。これらは途方もないテロ行為です」(長崎にて)

あるいは、「戦争のための最新鋭で強力な兵器を製造しながら、平和について話すことなどどうしてできるでしょうか。……武器を手にしたまま愛することはできません」(広島にて)

全文を読むと、言葉は指導者だけでなく、あらゆる人に向けられているのが分かる。それには無論、科学者も含まれるだろう。古来、科学技術は戦争の殺戮と破壊に深く関与し、原爆というパンドラの箱も科学者たちはこじ開けた。

被爆地からの教皇のメッセージを読みながら思い浮かべたのは、一人の物理学者だった。ジョセフ・ロートブラットは、第二次世界大戦中に原爆を製造するマンハッタン計画に加わったものの、道義的見地から身を引いた科学者である。

「天才」の定義は様々にあるが、米国の作家スタインベックはこう言う。「天才とは、蝶《ちょう》を追いかけて山頂まで登ってしまう少年のことである」

一つのことに夢中になれる才能が成し遂げる偉業を表した言葉だろう。だが原爆製造計画を思うとき、本来は明るいはずのこの言葉が脳裏で暗く重なり合う。

結集した天才的な科学者や技術者たちが、それぞれの専門分野で夢中になって蝶（課題）を追いかけるうちに、とんでもない魔の頂《いただき》に登ってしまった。それがマンハッタン計画ではなかったか。目もくらむ初の核爆発実験に立ち会って、自分たちが生みだした「創造物」におののく科学者の姿も伝えられている。

ポーランドで生まれ、英国から参加したロートブラットは途中で蝶を追うのをやめた。ナチス・ドイツに原爆製造能力がないと知った一九四四年末に、「大義はなくなった」として、ただ一人プロジェクトを辞して去った。そもそもこの計画はヒトラーが手にするより先に原爆をつくるのが目的とされていたからだ。

一九四五年五月にドイツは降伏したが、八月に広島と長崎に投下された。英国に帰っていたロートブラットは、原爆が実際に、それも一般市民に向けて使用されたことに「恐ろしい衝撃」を受ける。

戦後、彼は核廃絶をめざす科学者らとパグウォッシュ会議を創設する。一九九五年にはノーベル平和賞を受けた。二〇〇五年に永眠。原爆開発に加わって知った苦い教訓を、次のように語っている。

「ある兵器を開発したとき、科学者たちが軍部や政治のリーダーに、その使用について影響力を及ぼせるという思い込みは間違いでした。ひとたびリーダーたちが武器を手にすると、彼らはただ、したいようにするだけでした」

その後悔を引き取るかのように、教皇の語った言葉には、現在の世界のリーダーたちに向けた深い憂慮が沈んでいる。

一九四一年のきょう、日米が開戦した。

満州事変から日米開戦へと突き進んだ時代に、呪文のようによく使われたのが「現実的」という言葉だった。いわば既成事実への追従を求める言い回しである。

現実がここまできている以上、もはや理念や原則は空論にすぎない――。そうした論法が重ねられ、この国は引き返すことのできない沼にはまりこんでいった。

ローマ教皇のスピーチに対しても同じような反応がある。「安全保障上の現実」といった言葉を対置して、冷ややかに評する声を耳にする。だが、もとより教皇も昨今の世界情勢を承知していないはずがない。メッセージの奥に込められたものを私流に解釈すれば、それは「現実の僕《しもべ》になってはいけない」という呼びかけではなかったかと思う。

現実に付き従う僕になれば思考はストップしてしまう。日本人は、日本政府はそうなっていませんか。教皇は、理念の羅針盤を、静かにかざしていったのだ。

（2019・12・8）

ロートブラットは一九四四年三月、食事の席でマンハッタン計画の責任者だった米陸軍のグローブス将軍から「計画の主たる目標はソ連を押さえ込むこと」と聞かされてショックを受ける。開発の目標は対ドイツだったはずがいつしか変わっていたからだ。このとき以来計画に疑問を持ったという。後年、「広島、長崎への投下は、日本への攻撃だけではなく、米国対ソ連、共産主義とそれに反対する勢力の思想的対立の犠牲だった」と朝日新聞記者のインタビュー（一九九四年）で語っている。ドイツに対しても実際に核攻撃をするのではなく、米側が先に開発することで牽制《けんせい》し、相手が開発に成功しても使用を思いとどまらせる、いわば「抑止」がロートブラットの考えだった。

核廃絶へ　主語を担う意志

「壁」の冷酷さと違って「橋」の持つイメージは前向きだ。隔てるのではなく、つながり、交わろうという未来志向が感じられる。壁ではなく橋を――そうした標語を昨今よく見聞きする。しかし日本政府によって語られるあの「橋」は、前向きな志というより言い訳じみて聞こえる。「核保有国と非保有国の橋渡し役」という、安倍晋三前首相もよく口にしたお決まりの文句だ。

二〇一七年、すべての核兵器を違法とする核兵器禁止条約が国連で採択され「核兵器廃絶国際キャンペーン」（ICAN）がノーベル平和賞を受けた。以来「橋渡し役」の語は、唯一の戦争被爆国ながら条約に背を向ける政府の、体《てい》のいい「まやかしの壁」として使われてきた。

今月二二日〔二〇二一年一月〕に条約は発効したが、その日の参院代表質問で菅義偉首相は「署名する考えはない」と改めて拒否した。

片や条約発効に際して、カナダ在住の被爆者でノーベル賞の受賞スピーチもしたサーロー節子さんは記念イベントへのビデオメッセージで語った。

「被爆した何十万の死者の記憶に思いをはせ、核兵器の完全廃絶まで、いとしい死者とともに歩み続けましょう」

双方の隔たりに、他日にも当コラムで紹介した竹山広さん（二〇一〇年没）の一首が思い浮かぶ。長崎で被爆した歌人が最晩年に詠んだ静かな怒りの歌である。

〈原爆を知れるは広島と長崎にて日本といふ国にはあらず〉

日本は米国の「核の傘」の下にあり、米国は条約に反対している。だからといって思考を止めたように条約を拒む日本政府は、被爆者や被爆地への共感からいっそう遠ざかってはいないか。

「私は見た。人が筏《いかだ》となって川を流れるところを。私は知った。骸《むくろ》の脂《あぶら》の滲《し》みた土は乾かないことを」。これは広島と長崎で二度原爆に遭《あ》った山口彊《つとむ》さん（二〇一〇年没）が著書『ヒロシマ・ナガサキ　二重被爆』に刻みつけた証言だ。二発の閃光は無残極まるおびただしい死と苦しみを人々にもたらした。

「三度目があってはならない」。それが山口さんの強い願いだった。山口さんだけではない。多くの被爆者がそのために、語りがたい体験を語ってきのこ雲の下の実相を伝えてきた。身を粉《こ》にして世界に訴えてきた人たちもいる。語りえずに沈黙を続けた人も思いは同じだっただろう。

核兵器禁止条約の前文には、核兵器使用の犠牲者（ヒバクシャ）がこうむった「受け入れがたい苦痛と被害」を心に留めることがうたわれている。人間の持つ想像力、共感力への信頼と望みを、文面から読み取ることができる。

いまや被爆者の平均年齢は八三歳を超える。先の本紙社説がこの条約を「七五年の願いをへて次世代に託された大きな遺産だ」と述べていた。その通りだと思う。

思い出す一文がある。

長崎で被爆した作家の林京子さん(二〇一七年没)が埼玉県にある「原爆の図　丸木美術館」を訪ねたときの「水・からす・少年少女」と題するエッセーだ。

戦争や被爆の体験がないから平和を願う核心になる実感がない、という世代がいるが――という問いに、連作画「原爆の図」で核の非人道を問い続けた丸木俊《とし》さん(二〇〇〇年没)はこう答えたという。

「体験しなければわからぬほど、お前は馬鹿か、って聞くの」

人間と、人間の想像力を信じるゆえの言葉であろう。

広島の慰霊碑に刻まれた「安らかに眠って下さい　過ちは繰返しませぬから」をめぐって、誓いの主語は誰なのかという論争があったのはよく知られる。

今は、主語は「人類」ということで多くに受け入れられているようだ。「人類」という主語には説得力がある。しかし「みんなの責任」は往々にして誰の責任でもなくなりがちだ。日本政府は、人類が過ちを繰り返さないためにも、核兵器廃絶への「主語」を担う意志をもっと強く持つべきではないか。

米国の「核の傘」の陰から「蟷螂《とうろう》の斧《おの》」でも見るような冷ややかな目を核兵器禁止条約に向ける姿は、原爆の非道を最も知る国としての役どころを捨ててしまったように映る。条約交渉会議のあった国連議場の無人の日本政府代表席に「あなたがここにいてほしい」と英語で書かれた折り鶴が置かれたのを思い出す。

口先だけではない「橋」を架けてほしい。リアリズムは肝心だろうが「現実の僕《しもべ》」になり下がるのとは意味が違うはずだ。

（2021・1・31）

山口彊さんを英国の公共放送BBCのお笑いクイズ番組が「世界一運の悪い男」などと揶揄したのは二〇一〇年だった。司会者が「山口さんが広島から長崎に戻ると、また原爆が投下された」と述べると、観衆は爆笑。司会者は「二重被爆をして生き残ったのは、最も幸運か最も不運か」などと締めくくった。スタジオにはきのこ雲や山口さんの顔写真が掲げられていた。BBCは会長名で謝罪したが、英国のような核保有国も含め、世界のある一定層の核兵器への認識と想像力はこの辺りなのかもしれない。山口さんに痛切な一首がある。〈黒き雨また降るなかれにんげんがしあわせ祈るための蒼穹《あおぞら》〉。「三度目があってはならない」の悲願は核兵器の廃絶によってしか完結しえない。

V

いのちの日々に

水俣　取り戻せない歳月をへて

自分の名前に十二支のひとつが入っているので、その年がめぐるたびに馬齢を明かすような思いになる。ご明察のとおり申《さる》の年、さらに言えば一九五六(昭和三一)年の生まれである。

経済白書に「もはや戦後ではない」とうたわれたその年の四月。手元の文献によれば私が生をうけた頃、熊本県水俣《みなまた》市で五歳の女の子に異変が起きた。きのうまで元気に走り回っていたのに、朝起きると口が回らず、茶碗も持てなくなったという。歩くこともままならない。

魚が湧くといわれた不知火海《しらぬいかい》のほとりの集落に女の子は生まれた。潮騒《しおさい》のもたらす恵みはこの子の心身をすこやかに育むはずだった。だが工場廃水から魚や貝に蓄積されたメチル水銀が、海辺に暮らす老若男女に牙《きば》をむいた。何日かすると同じ症状が妹にも現れた。

五月一日、病院は保健所に「原因不明の疾患発生」を報告する。

それが「水俣病の公式確認」として刻される日となった。暦はめぐって今日［二〇一六年］で六〇年になる。わが齢《よわい》に重なる歳月は、生きる方向を閉ざされ、ねじ曲げられてしまった多くの人々の、取り戻しのきかぬ月日である。

入り江の奥、小さな漁港の近くに坂本しのぶさんの家がある。私と同い年のしのぶさんは、母親が食べた魚介によって胎内で水銀に侵された胎児性患者だ。体をよじり、全身を絞るようにして言葉を発する。

水俣に生まれたのを恨んだことが何遍もあったそうだ。しかしそれは歳月とともに消えた。いまはふるさとがとても好きと語る。だが隠蔽《いんぺい》と虚偽で真実を覆い、原因となる廃水を流し続けた加害企業チッソへの恨みは決して消えることがないと言う。

八〇人以上とみられる胎児性患者には私と同年配の人が多い。両親から「宝子《たからご》」と大事にされた故・上村《かみむら》智子さんも同い年だ。寝たきりで言葉は発せず、瞳は生涯ものを見ることがなかった。母親に抱かれて入浴する写真が水俣病を世界に知らしめたのを、ご記憶の人もあるだろう。

智子さんの下の六人のきょうだいに症状はなかった。毒を一人で吸い取ってくれたという思いから「宝子」と呼んだのだった。ところが水俣病の損害賠償訴訟に加わると、こともあろうに家に来た報道関係者に言われたそうだ。「お金が入るから宝子ですか」。父親の好男さんは、いまでも悔しそうに顔をゆがめ、目をしばたかせる。

奇病とされた当初から、水俣病ほど偏見と差別、誹謗《ひぼう》と中傷にまみれてきた公害病もない。取材の別れぎわ、好男さんは私に「智子と同じ年なんですねえ」と二度言って涙ぐまれた。高度経済成長の陰画ともいえる、いわれのない理不尽を智子さんは背負わされた。それが彼女であって私ではなかったのは、ただ偶然でしかない。

「海へ小便したって海の水は小便にはなるまい」と勝海舟が『氷川清話《ひかわせいわ》』で述べている。公害の原点とされる足尾銅山鉱毒事件をめぐり、人間の素朴な営みなら自然を損なうことはない、というたとえに語ったものだ。しかし文明が発達すれば話は違うと続けて述べる。

「文明の大仕掛《おおじかけ》」(勝)が、水や空気や土壌など生命の基層に毒を投げ込んだときの災いは計り知れない。こうしたとき往々にして、産・官・学がつるむように情報を隠し、事態の矮小化《わいしょうか》へと動くのは歴史の示すところだ。メディアの加担も指摘されてきた。そして被害は常に、弱い立場の人にこそ及ぶのである。

二〇一三年、五輪招致の演説で福島原発事故の状況を「アンダーコントロール」と言った安倍首相は、同じ秋に熊本県であった水銀条約外交会議へのビデオメッセージで「水銀による被害と、その克服を経た我々」と発言した。しかし今も患者の苦しみは続き、不知火海の水銀禍はどこまで広がったのかも解明されていないのが実情だ。

六〇年前に「水俣病の発見者」となった病院長の細川一《はじめ》医師は後年、公害においては防止こそが重要との言葉をノートに残したという。痛恨の思いがにじむ。

しかし取り戻しえぬ歳月をへて、経済至上と産業優先のもたらした悔恨と教訓が、この国において広く共有されたかどうかは疑わしい。

勝海舟の言葉は晩年の明治三〇（一八九七）年に新聞記者に語られている。その末尾は「今日は文明ださうだ。文明の大仕掛で山を掘りながら、その他の仕掛はこれに伴はぬ、それでは海に小便したとは違はうがね……元が間違つてるんだ」と喝破《かっぱ》してくくられる。栃木・足尾銅山の鉱毒は清流を死の川に変え、山や田畑を荒らした。しかし銅は国の経済を支える産品であり、政府は人を救うより富国強兵を優先した。そのさまは水俣病、あるいは原発にも重なってくる。勝は、鉱毒事件で民衆の先頭に立って戦った田中正造を高く評価して親交をむすんだ。田中のよく知られた言葉「真の文明は山を荒らさず、川を荒らさず、村を破らず、人を殺さざるべし」は勝の卓見とみごとに響き合う。

（2016・5・1）

大人の甘え　若者の怒り

センセーショナリズム（扇情主義）が大手を振った一九世紀末のアメリカ新聞界で、新聞王と呼ばれた名高い経営者ハーストは記者たちに訓示したそうだ。「一面を眺めた読者が『これはすごい』と言い、二面を見て『これは大変だ』と言い、三面を見て『助けてくれ』と言うような新聞を作りたまえ」

大衆紙の極意というべきか。売らんがための紙面合戦が、誇張ありウソもありの記事を連発していた時代である。

古いエピソードをふと思い出したのは、三週間前の日曜日の本紙を見てのことだ。「気候危機」のタイトルカットをつけた一面から二面にわたる記事を、すごい→大変だ→助けてくれ、と思って読んだ人は多かったのではないか。その後の「気候危機」のシリーズも、同じ思いに駆られながら私は読んだ。

もちろん、あおり立てる記事ではない。アマゾンの熱帯雨林火災による今年〔二〇一九年〕一～八月の二酸化炭素（CO^2）の排出は自動車約三〇〇〇万台の一年分に相当する。欧州を熱波が襲った今年七月は世界の平均気温が観測史上最も高い月になった――。ほかにも多々、地球は温暖化に関連する危機的な症状とデータに満ちている。ありのままを報じればハーストが訓示したような紙面になるところまで、現実はきているということである。

ところがそうした事実を虚構のように言う人がいる。親玉格は米大統領のトランプ氏だ。温暖化をフェイクと言い張る頭には、煙突からのぼる化石燃料の煙こそ「偉大なアメリカ」という時代錯誤があるのだろうか。

日本も偉そうなことは言えない。国連気候行動サミットに安倍晋三首相は出席せず、出席した小泉進次郎環境相も具体的な行動は語らなかった。対策の鈍さに世界の風当たりは強い。

今回のサミットは、グレタ・トゥンベリさんのスピーチによって記憶されるだろう。もし自然というものに感情と表情があって、手荒く地球に君臨するホモ・サピエンス(の大人)をにらみつけるなら、この少女のようだろうか。

サミット前には世界中で四〇〇万人を超す若者の一斉デモもあった。もとは彼女ひとりの闘いから広がった動きだ。

トゥンベリさんやデモの若者の怒りに、今年が生誕九〇年になるミヒャエル・エンデを思った。『モモ』で知られるドイツの世界的な児童文学者は生前、環境破壊を、生まれてくる世代に対する戦争、いわば第三次世界大戦であると言っていた。

容赦なく将来世代への戦争を進めながら、大人たちは自分にこう言い聞かせて良心をなだめるのだと、エンデは続けて言う。

「わたしたちがおこなったひどいことを償《つぐな》うために、子孫はなにか思いつくにちがいない、と」(『エンデのメモ箱』から)。それに呼応するようなトゥンベリさんの批判、「私たちの世代が、今は存在もしない技術で膨大なCO_2を吸収することをあてにしている」を聞けば、大人はもう未来への甘えを断ち切るほかない。

この五月、脚本家の倉本聰《そう》さんと対談する機会があった。消費文明への厳しいまなざしを持つ人だ。かつて演劇人を育てるために北海道に開いた「富良野塾」の起草文にもそれは表れている。

あなたは文明に麻痺《まひ》していませんか

石油と水はどっちが大事ですか

車と足はどっちが大事ですか

そんな問いかけを連ねていく起草文は、最後にこう締めくくられる。

あなたは結局何のかのと云《い》いながら

わが世の春を謳歌《おうか》していませんか

最後の二行には、頭をがつんとやられる思いがする。

人間の仕業《しわざ》に地球が悲鳴を上げている時代、だれもが憂い顔はする。しかし憂いが意志や行動にまで高まることは少ない。なんだかんだと口では言っても、すぐに忘れて消費文明の湯船にどっぷりつかっている。自分のいい加減さを鏡に映されているようで、顔が赤らむ。
あすから始まるノーベル賞週間《ウィーク》、もしトゥンベリさんが平和賞なら人は驚くだろうか。何で、あんな子が――と。私はありだと思っている。日本国首相が推薦した米国大統領よりも、よほど賞にふさわしい。

（2019・10・6）

倉本聰さんが主宰する富良野自然塾には直径を一メートルに縮尺した石製の「地球」が置かれている。人の想像力はあまりに大きなものには及びにくい。うんと小さくすることでイメージを深めてもらおうと極小の地球をつくった。このサイズだと海の水は全部でビール瓶一本分しかない。無尽蔵に思われる海の心細くなるほどの有限性に目を開かされる。空も無窮に思えるけれど大気の層は地表から一ミリほど。人間は天地のはざまにへばりつくように生かされている存在だと、あらためて実感する。国連の気候変動に関する政府間パネル（IPCC）は二〇二一年、懐疑論を断ち切るように、人間の活動によって地球が温暖化しているのは疑いの余地がないと言い切った。地球は将来世代からの借り物、という意識を私たちは深めうるだろうか。

不機嫌オーラに一利もなし

エッセーや小説を読んでいて、さりげなく差《さ》し挿《はさ》まれたようなひとことが胸にしみるときがある。信州で暮らす内科医にして芥川賞作家の南木《なぎ》佳士《けいし》さんの書くものには、そうしたひとことが目に留まり、思いを深くめぐらすことが私には多い。医師として夫としての私的な来し方を描いた短編「白い花の木の下」(『先生のあさがお』所収)から引く。

「この身が生きのびるために言葉や態度に載せて排出した毒を吸ってくれる者がいて、だからこそいまこうして生きて在る」。そんな自らの罪業の深さに思い至った夫は、にわかに妻にやさしく接するようになったと文は続いていく。

生きるために食べて排泄《はいせつ》するのはだれもが知っている。加えて人間というものは、心の中に絶えず「毒」が生成されていて、それを言葉や態度に載せて外に逃がさぬことには生きていけない厄介な存在らしい。胸に手をあててみれば、自省の痛みを引きつつ南木さんの一節にうなずく人は、少なくないと思う。

日々の明け暮れのなかで、ありがたくも毒を吸ってくれる近親の者がいる。しかし、仕事上、他人の毒を吸わされる人もいる。震えるような悔しさで客の毒気に耐えている人の多いことが、流通や小売りなどの労働組合でつくるＵＡゼンセンの実態調査から浮かび上がった。

百貨店やスーパーなどで働く約五万人にアンケートで聞くと、七割以上が悪質なクレームを経験していた。暴言が最も多いが、説教や威嚇《いかく》といった行為も目立つ。土下座の要求もあったという。一つひとつの事例は、言葉や態度に載せて吐き出される毒また毒の連続で、読んでいるだけでつらくなる。

いくつかを挙げると——。

商品の返品時に「おまえはバカか、謝るしかできないのか、言葉がわからないのか」と一時間近く電話で言われた。在庫がないと伝えると「売る気がないのか。私が店長だったらお前なんかクビにするぞ」と延々怒られた。混み合う時間に、レジが進まないのはお前のせいだと言われ、並んでいる間ずっと怒られ続けた。

これは氷山の一角で、厄介な相手の年齢性別はさまざまだ。このような理不尽が最近増えていると感じるか、との問いには五割が増えていると答えていた。

せつない一首を思い出す。

〈わたくしの正しき事は主張せず客の激しき言葉に耐へゐる〉山口英子

三〇年ほど前に出た『会社万葉集』という本の中に見つけ、ノートに書き写した歌だ。作者の詳しい職種はわからないが、唇をかむように自分を押し殺す姿が浮かんで痛々しい。

言った側はすぐに忘れても、言われた側はいつまでも尾を引く。心の傷になって残ることもある。小売店舗にかぎらない。日本中のサービス業の現場で一日に吐かれる毒の総量は、一体どれぐらいになるのだろうと想像すれば空恐ろしい。

人が暮らしていくうえで、法律より広くモラルや常識の守備範囲がある。法律は人に、店で高《たか》飛車《びしゃ》になるなと命じないし、他人に毒づくなとも言わない。しかし今、さまざまな場面で、人間社会の潤滑油というべきモラルや常識の守備範囲が、哀れに細っているように思われてならない。

さて、今年も師走《しわす》である。

せき立てられるような季節は、腹の中に険しい感情をためやすく、言葉や態度に載せた毒が量を増すときかもしれない。作家の幸田文《あや》は昭和の半ば、せわしい年の瀬の情景を本紙に寄せた。「歩道だって素直には歩けない、人がみんなやけにぶつかって来る。いきおい、そんならこっちからもぶつかってやれという気になって侘《わび》しかった」

さすがにこの人は、心中に生じかけた毒を自らそっと解毒したようだ。

聞くところでは、こうした毒の「一大排出源」は男性の中高年世代というのがもっぱらの説らしい。近しい人なら後で赦《ゆる》しを乞《こ》う機会もあるだろうが、どなたかとの、たまさかの一会《いちえ》をつまらぬ毒で苦いものにしたくはない。

中高年男性のお仲間の一人として、毒消しのゆとりを心身に保ちたいと思う。暮れの日々、不機嫌オーラに一利もなしと胸に畳む。

（2017・12・3）

「感情労働」という言葉を耳にすることがある。自分の感情を抑えて相手に合わせた態度と言葉で対応する、自制心を求められる仕事のことだ。「肉体労働」「頭脳労働」に並ぶ概念といい、かつては旅客機の客室乗務員が典型とされていた。その言葉を広めた『管理される心』（A・R・ホックシールド著）には「感情が商品になるとき」という副題がつく。いつも笑顔をつくる感情操作もあれば、他者の「毒」に耐える心の操作もある。「堪忍袋《かんにんぶくろ》」を日々酷使するのは誰にとってもつらいことだ。考えてみれば、客として理不尽を言う人が、仕事では客に理不尽を言われる立場にいることもあろう。そしてまた、その客も……。さまざまな場面で互いが互いの働く現場を酷にする、やるせない「いちゃもん化社会」が透けて見える。

悲しすぎるひらがなの文字

二枚目俳優であるとともに、「文は人なり」を思わせる文章家でもあった。加藤剛《ごう》さんの訃報を聞いて、かつて頂戴した手紙を取り出して眺めた。二〇一〇年の消印がある。

そのころ私は天声人語を担当していて、ある日、加藤さんの随筆の一節を拝借してコラムを仕立てた。掲載紙をお送りしたことへの、律義な返礼の手紙である。

コラムのテーマは子どもへの虐待だった。

男の子が相次いで命を奪われた。奈良の子は五歳なのに体重は六キロしかなかった。埼玉の四歳は、水を飲ませてと哀願する声を近所の人が聞いていた。胸のつぶれそうなコラムの中に、ともしびのように挿《さ》しはさんだのが、加藤さんが幼いわが子を肩車する随筆の場面だった。

肩にまたがって父親の額をしっかり押さえる子の小さな両手を、加藤さんは「若木の枝で編んだ桂冠《けいかん》」とたとえていた。その栄誉の桂冠を頭に戴いて、加藤さんは「凱旋《がいせん》将軍のごとく」誇らしげに歩むのである。ごく短い描写ながら、子への情愛が文章からにじみ出してくる。

子にとってみれば、人から愛され大切にされた記憶が、愛するという資質を耕すのだろうと感じたものだ。虐待をしてしまう親は、自分もまた受けた愛情が薄かったという話を往々耳にする。手紙をいただいて以来、痛ましい虐待のニュースに接するたびに、加藤さんの肩車が思い出された。悲しいことに今年［二〇一八年］もまた、それは繰り返された。

ひらがなはやさしい文字である。易しいうえに優しく、つづる言葉は角がとれて丸くなる。そのひらがなを、これほど痛ましく読んだ経験はかつてない。

船戸結愛《ゆあ》さん（当時五歳）は、覚えたばかりのひらがなの文をノートに残して息絶えた。親から悲惨な虐待を受け、まともな食事も与えられなかったという。

「……もうおねがい　ゆるして　ゆるしてください　おねがいします……」

日ごろ凶悪事件を受け持つ警視庁捜査一課の幹部が、記者発表でノートの一部を読み上げながら声を詰まらせた。ひどい仕打ちを受けながらも親の愛情をただ求める、幼い必死な文字と言葉が私たちを打ちのめす。

これまでも児童相談所や警察が虐待を認識しながら、命を救えなかったケースは繰り返されてきた。児童相談所は多忙が指摘され、対応した虐待件数は一昨年度には全国で一二万二〇〇〇件と過去最多になった。職員の疲弊は深い。しかしながら脅かされる命の最後の守り手である。仁王立ちのゴールキーパーの姿を、その仕事に重ねてみる。

「どの社会にとっても、赤ん坊にミルクを与えることほど素晴らしい投資はない」と国民に呼びかけたのは英首相チャーチルだった。その言葉をいま「社会で子どもを守り育てる」という意味に読み取りたい。国も自治体も財布は苦しいが、増える虐待から子を守る体制の拡充への十分な投資を、惜しむときではない。

ひらがなの名前の詩人まど・みちおさんに「はっとする」という詩がある。

違法なゴミ捨て、大金ねこばば、下着泥棒、模範教師が高山植物盗掘……新聞などでよく目にする、魔が差したような人間の過ちをまどさんは並べていく。そして詩の最後をこう締めくくる。

ああ　きりもなくはっとしては／ほっとする／よくもよくも俺《おれ》のことではなかったなと

だれでも人間である以上、つい過ちをしてしまう危うさを内に抱えている。虐待もその類いだろう。ニュースに接して「よくも私ではなかったな」と自省の痛みを引く人もいるのではないか。死に至るような虐待は極端だが、無視する、暴言を吐いてしまう、衝動的に叩く、それらはおそらく日々の育児と隣り合わせだ。

私たちの社会にも自省が要る。結愛さんのひらがなには涙しつつ、子どもに向ける目はどうにも不寛容だ。子が泣けば周囲の不機嫌に親は縮こまり、遊び声さえ迷惑がられる。保育園の建設にも反対の声が出る。そうやって親のストレスや孤立感はじわじわ嵩《かさ》を上げていく。

子育てという大仕事、もっと敬意を払われていい。見守る。手を差しのべる。加藤剛さんに倣《なら》って言えば、子どもという存在すべてを社会で肩車できれば素晴らしい。

幕末から明治にかけて日本に来た欧米人の多くが、この国を「子どもの楽園」と見たのはよく知られる。たとえば英国の旅行家イザベラ・バードは「これほど自分の子どもに喜びをおぼえる人々を見たことがない」と紀行文につづった。大森貝塚の発見で知られる米国の動物学者モースも、日本ほど子どもが親切に扱われる国はない、子どもたちは朝から晩まで幸福であるらしい、と感嘆している（渡辺京二『逝きし世の面影』から）。外国人が称賛した通りだったかどうかはともかく、ご先祖たちは子どもを大事にしたようだ。ところが今や、日本は「子ども嫌い社会」になってしまったとの専門家の指摘もある。あとを絶たない虐待のニュースにはやりきれなさを感じながらも、子どもたちを何かと厄介視してしまう世の中であれば、「社会全体で育てる」という美辞はむなしいお題目と化してしまう。

（2018・7・22）

平成を見送る師走に

寒気のなかに吐く息も白く、平成を見送る二〇一八年の師走である。年の瀬は涙腺のゆるむ人情話がよく似合う。平成の始まった年に話題をさらった「一杯のかけそば」をご記憶のかたもいるだろう。

――大みそかの夜、二人の男の子を連れた母親が、かけそば一人前を遠慮がちに注文する。事情を察したそば屋の夫婦はひそかに大盛りをつくり、一杯を分けあう母子を心で励ました。十数年たった大みそかの夜、夫婦や客があの母子に思いをはせる店に、立派に成人した息子二人が母親とのれんをくぐって現れる。

泣かせどころたっぷりの物語は、実話という触れ込みもあって人々の琴線《きんせん》を鳴らした。衆院予算委員会では質問に立った議員が朗読した。議場はしんと静まりかえって、涙をぬぐう閣僚や委員もいた。

大勢を泣かせ、感動させた要素の一つは母と子のたたずまいであろう。描かれているのは「理想の弱者像」とでもいうべき姿である。置かれた境遇で健気《けなげ》につつましく生きるイメージの弱者

（あるいは少数者）に世間は同情的だ。

ところが、そうした人たちが声を上げて権利や不満を訴え始めると、今度は非難がわき起こる。しばしば見聞きする事態である。「物言う弱者」は袋だたきにあう、という趣旨の論考を、自らの体験などをもとに在日三世の辛淑玉《シンスゴ》さんがかつて本紙に寄せていた。

「貧困たたき」という嫌な言葉を二年前に耳にした。NHKニュースに貧困の当事者として出た母子家庭の女子高校生をめぐってのことだ。進学を断念しかけていることなどを伝えたが、テレビに映った所持品などから、貧困というのはウソだなどとバッシングされた。

貧困ばかりではない。セクハラでもレイプでも、国会前の抗議にしても、勇気をしぼって当事者や市民が沈黙を破れば尖《とが》った反応が湧きだしてくる。平成の初め頃にはなかったことだが、ネットの匿名性に隠れて小心者が振り回す言葉の暴力はますます高じているようだ。

沖縄にも同じことがいえる。辺野古《へのこ》への新基地建設に抗議する人たちに様々な誹謗《ひぼう》や中傷が浴びせられている。

二週間前の日曜の本紙に「『分《ぶん》をわきまえろ』という論理」と題する大学教授二人の対談が載っていて、興味深く読んだ。長谷部恭男・早大教授と杉田敦・法大教授のお二人は、強い者への従属を強いる「分」という考え方を危ういものと見る。

思えば「分をわきまえろ」とは強い立場から放つ言いぐさだ。個々の生き方や多様性を尊重せず、男はこう、女はこう、お前たちはこうあるべき、と高いところから言っていれば力のある者は居心地がいいだろう。それを、市井《しせい》のある種の人々が、保守的な権力に成り代わるようにして気に食わない人たちに投げつけている言動をあちこちで見聞する。

寛容の気風は伸びゆかず、平成という時間をくぐってこの国は、政治も社会も険相《けんそう》を強めているかに思われる。

今年は「生産性」という言葉が物議をかもした。これも、主張をし始めた少数者に向けて、険相を増す政治から転がり出た本音だろう。人間には使いたくない言葉である。ナチス強制収容所の体験記『夜と霧』(フランクル著)の一場面を思い出した人もいたのではないか。

収容所へ連れられてきた一列縦隊の人々を、一人の将校が右手の人さし指だけを左右に動かして振り分ける。左は労働にやられ、虚弱に見られた右はガス室へ。自分の番になったフランクルは、がっちりした印象を与えるために、ピンと真っ直ぐに立つよう努めた。指は左へ動く。

もちろん当時と今とは時代も状況も大きく違う。このぐらいのことで騒ぎすぎだと言う向きもあろう。しかし多様性をはじめ民主的な諸価値がネガティブな空気の中でどれほどもろく壊れやすいかは、最大限の想像力と用心深さで考える必要がある。

「大みそかの夜」に話を戻そう。

白樺派の詩人、千家《せんげ》元麿《もとまろ》に「三人の親子」という大正期の一編がある。

大みそかの晩、貧しい母子がガラス戸ごしに売り物の餅をじっと見ている。買うか買うまいか迷った末に「母親は聞《きこ》えない位の吐息をついて、黙って歩き出した。子供達もおとなしくそれに従って、寒い町を三人は歩み去った」と続くせつない詩である。

素朴な詩は、互いの抱える社会的な困難に鈍感、冷酷になってしまった時代にそっと語りかけてくるようだ。聞こうとする者には聞こえる声が、いたる所にある。

（2018・12・16）

「そば屋」つながりの話をひとつ。昭和の名人、落語の古今亭志ん生は「びんぼう」を芸の肥やしにした人だが、その長男でやはり落語家だった金原亭馬生《きんげんていばしょう》の幼時の思い出は切ない。寒い夜、湯たんぽの湯をもらいに近所のそば屋へ行った。腹もすいて、湯を待つ間、そばを食べる客を見つめていた。客は店の人にどなったそうだ。「このガキに早く湯をやれ、そばがまずくなっちまうよ」。顔から火の出る思いで泣いて帰ったと、筆づかいに哀感がこもる。一方で、よその子に「チョィト待ってな坊主」と湯をくれる市井の人情も昔はあった。令和になって今、殺伐とした貧しさに胸が痛む。周囲からも制度からも孤立しがちな中で六人に一人の子が貧困レベルで暮らしている。自助を言い募る政治が社会の不寛容を促してはいないか。

めぐり合う一冊　待ち受ける景色

どこで聞いたか読んだか忘れたが、愉快な話だったので覚えている。アメリカの老富豪があるとき「全財産をはたいてもかなえたい望みはありますか」と聞かれて、答えたそうだ。「大好きな『ハックルベリー・フィンの冒険』をまだ読んでいない状態に戻してほしい」

想像するに、富豪は多感な時期に夢中になって読んだのだろう。大人になっても読み返すたびに面白いが、初めて読んだあの興奮は戻らない。願わくはもう一度、まっさらな頭になって読んでみたい――。

そんな一冊のある人は幸せだと思う。

昨年〔二〇一八年〕秋。皇后美智子さま（当時）が誕生日に、公務を離れたら読みたい本として『ジーヴス』を挙げられた。英国の作家ウッドハウスのユーモア小説シリーズだ。お人よしの青年貴族に仕える執事ジーヴスの機知に富んだ万能ぶりが、英国らしい謹厳、笑い、皮肉をもって描かれている。触発されて私も買い求め、読み始めると時間を忘れた。

添付されていたパンフレットによれば英国のブレア元首相も熱心なファンらしい。「ウッドハウスを一度も読んだことのない人をうらやましく思う」と老富豪と同じ意味のことを言っている。自分もそうなれたらいいのに――。二人の抱く羨望《せんぼう》は、一生ものの本と出会ったすばらしい体験の証しでもあるだろう。

「おかえり、栞《しおり》の場所で待ってるよ」

きょうから始まる読書週間（一一月九日まで）の標語は、栞をはさまれた書物が読む人に語りかける。これまでのものに比べてひときわソフトな印象だ。

毎年の標語は世相を映していて、終戦間もない初回の一九四七年は「楽しく読んで　明るく生きよう」だった。その後の標語も時代を感じさせるが、二〇一〇年の「気がつけば、もう降りる駅。」は最近のものながら今昔の感がある。爆発的に広まったスマートフォンに席巻《せっけん》されて、車内読書派は希少になった。

それと並行する現象だろう、いまや大学生の約半数は一日の読書時間がゼロだという。全国大学生協連合会の調査では二〇一〇年に三四％だったゼロは、二〇一三年に四〇％を超え、ここ数年は五割を前後している。大丈夫かなと心配になる。

「You are what you eat」という慣用表現がある。「あなたという人間は、あなたが食べてきたもの」という意味だ。食べることの大切さを説いて、シンプルな言葉ながら含蓄は深い。

「eat」は「read」にも置き換えられるだろう。つまり「あなたという人間は、あなたが読んできたもの」。若い日々は読むものすべてが滋養《じよう》になっていく時。スマホだけで腹いっぱいになっているとしたらもったいない。自省をこめて言うのだが、青春の逃げ足は速い。

〈トカルチュク、ハントケを買う見栄《みえ》っ張り〉。そんな一句が先日の朝日川柳にあった。聞き慣れぬカタカナは今年発表のノーベル文学賞の二氏である。ちょっと背伸びをしてみる。好奇心のままに道草を食ってみる。それも本の楽しみだ。そうした余裕がしかし、世の中から失われつつある。今は、直線がますますもてはやされ、ゆたかな曲線が疎《うと》んじられている時代に思われる。

将来性より即戦力、教養より実用、地道な基礎研究より目先の成果……A点からB点を最短距離で走り抜けよという効率偏重は、時間のかかる読書を「割に合わないもの」として押しやっている感がある。

そうした時代のなか、高校の国語教育も文学の比重を軽くして、論理や実用性に傾斜していくようだ。新しい指導要領に沿った大学入学共通テストのモデル問題に「駐車場の契約書」が出るなどして賛否の議論を呼んでいる。

多くの日本人にとって日本語(国語)は母語である。そして「母語は道具ではない、精神そのものである」と言っていたのは作家の井上ひさしさんだった。言葉がかくも軽くなって人と社会の「保水力」が失われつつある時代、うなずく人は多いと思う。

直線から逸《そ》れて、曲線の小道を歩いてこそ見えてくる景色もあるはずだ。手にした一冊に、思いがけない一行が、ひっそり待ち受けているかもしれない。

（2019・10・27）

小津安二郎監督の映画「麦秋」（一九五一年）にこんな会話がある。「面白いですね、チボー家の人々」「どこまでお読みになって」「まだ四巻目の半分です」「そう」――。朝の北鎌倉駅ホームで、のちに結婚する紀子（原節子）と謙吉（二本《にほん》柳寛《やなぎひろし》）が東京の勤め先に向かう場面だ。さりげない会話からテレビが普及する前の活字文化が垣間見える。『チボー家の人々』はフランスの作家マルタン・デュ・ガールの大長編小説。時間のかかる読書の最たるものだ。フランスの哲学・神学者ジャン・ギットンの言葉をふと思い出す。「学校とは一点から一点への最長距離を教えるところであると、私は言いたい」。答えを覚え込ませるのではなく、自分の頭で考えて、道草を食わせる教育こそ大事、ということだろう。「学校」を「読書」に置き換えれば、長い物語をじっくりたどる「曲線」もまた、滋味は濃い。

「どうせ無理」と言わせないで

山形県の庄内を訪ね、その足で土門拳《どもんけん》記念館に寄ったのは二〇一八年の夏。遠くに望む鳥海山《ちょうかいさん》に八月の雲がわいていた。

「リアリズムの鬼」と呼ばれた写真家の名高いドキュメント「筑豊のこどもたち」と「ヒロシマ」が期間展示されていた。胸に迫る一作一作を前に、土門の名前のことがふとよぎった。生前、よくペンネームと間違えられたそうだ。

しかし本名である。没落士族の貧乏な家に生まれ、父親が「徒手空拳をもって立つべし」と激励の意味をこめて名づけたと本人が書いている。その通りの奮闘で揺るがぬ名声を築いた人だ。展示された作品群からは、素手でたたき上げた者の気迫が伝わってくる心地がした。

近くを最上川《もがみがわ》が流れている。不思議な符合というべきか、詩人の茨木のり子に「最上川岸」という作品があって、それは次のように書き出される。

子孫のために美田を買わず
こんないい一行を持っていながら

男たちは美田を買うことに夢中だ
血統書つきの息子に
そっくり残してやるために……

詩の中には〈世襲を怒れ／あまたの村々／世襲を断ち切れ／あらたに発《た》って行く者たち〉といった言葉も出てきて、どこか土門の独立独歩の生き方に重なり合う。新たな時代を担う世代が一人ひとり存分に生きることを、この詩人らしいきっぱりした叙情で語りかけてくる。

世襲といえば、いわゆる七光りを浴びて闊歩《かっぽ》する人たちを連想する。一方でマイナスの「世襲」もある。親から子へと貧困が受け継がれていく連鎖である。

子どもも時代の貧しさのために自分の可能性を諦めてしまう。それが次の代に連鎖していく「貧困の固定化」が指摘されて久しい。むろん多くの例外はある。しかし全体を見れば、親に経済力がある子ほど良い教育を受けられ、学力も学歴も高いという現実は否めない。

だからこそ、萩生田《はぎうだ》光一文部科学相の言った「身の丈《たけ》に合わせて勝負してもらえれば」は罪が深い。社会構造のもたらす格差を、弱い立場の家庭や子らに放り投げて自己責任にしてしまう政治の非情が、言葉の底に流れてはいないか。

該当する受験生や、問題になった英語の民間試験だけの話ではない。頑張れば報われるという思いで努力している児童や生徒の向上心さえ挫《くじ》きかねない。自らの可能性を奪う呪いの言葉「どうせ無理」を、大臣が子どもたちに言わせてはいけない。

萩生田氏は違うようだが、自民党には世襲議員が多い。衆院の選挙区を見るとほぼ三人に一人がそうだ。ひるがえって世の中には、かなり大変な位置から人生を始めざるをえない子がいる。そんな子や家庭への想像力を絶やすことなく、だれもが恃《たの》みにできる「社会的公正」を整えるのが政治の仕事のはずである。


先に掲げた「最上川岸」の詩は一九六一(昭和三六)年に発表されている。家庭電化の波が広がりはじめ、「上を向いて歩こう」が歌われた年である。戦後の新しい教育と高度経済成長の風をはらんだ時代に、詩人は、生まれや旧習にとらわれない生き方をうたったのだ。

それから二〇年近くたった一九八〇(昭和五五)年。自分は中流だと思う人が九一%を占めるという新聞記事を見て、作家の向田邦子は、戦前の小学校のお昼の時間を回想する。弁当を持ってこられない子もいて貧富を考えないわけにいかなかったと随筆に書いた。そして「私がもう少し利発な子供だったら、あのお弁当の時間は、何よりも政治、経済、社会について、人間の不平等について学べた時間であった」とも。

それからさらに四〇年近くが流れ、向田の懐旧を呼び起こした「一億総中流」は遠く去った。思えば総中流は、経済成長が矛盾や不満を覆い隠し、世の中が最も平均化して見えた時代の空気だったのだろう。そしていま、非正規で働く人は増え、富は偏在し、改めて貧富と不平等を考えずにはいられない時代である。

教育とは、子どもを通して次の社会をつくり出す営みだという。しかし、それが階層や格差を「世襲」させるような社会では、活力は失せて行き詰まる。

資源は人、という国である。全員にチャンスを――が政治家の空言であってはいけない。

（2019・11・17）

土門拳は自らを写真家ではなく写真屋と称したという。仕事への情熱と徒手空拳の自負の溶けあった心の内が伝わってくる。世襲によどむ日本の政治を見るにつけ、投票する側もしがらみを解いて、人を見る目を養う必要があると痛感する。民芸運動を主唱した美術評論家の柳宗悦《やなぎむねよし》は、美術品や陶器などの優劣を「銘」で判断するなと言った。「定見のない人々に限って箱書等を大事にするものである。箱書が悪いというわけではないが、箱書で物の価値を定める態度は棄てていい。箱書よりもっと物自身を見ねばならない」と。フランスの文人ラ・ロシュフコーはより辛辣《しんらつ》だ。「名門の名は、そのよき担い手たり得ない者を、引き立てるかわりに卑小《ひしょう》にする」。思い浮かぶ人がなくもない。

ウイルスとの闘い　勝利とは

新型コロナウイルスの厄災は「第二次世界大戦以来の試練」であると、欧州各国のリーダーや国連事務総長は危機感をあらわにする。日本でもこんな春は終戦の年以来かもしれない。七五年前、東京は桜の季節に空襲に遭《あ》った。

その春の光景を、作家の坂口安吾《あんご》が見ていた。上野の山では焼け残った桜が花を咲かせたが、花見の客はひとりもいない。満開の桜の下には「風がヒョウヒョウと吹いて……およそ人間の気と絶縁した冷たさがみなぎっていて……」と記している。

この春、上野など桜の名所には同じような光景があった。いまや緊急事態宣言も出され、街場で、駅で、観光地で、人影はいよいよまばらだ。日本だけではない。ニューヨーク、パリ、ミラノ――見慣れた景色から人間を取り去った非日常が世界のいたる所に広がる。

〈集うこと許さぬ星に成り果てぬ〉の句が本紙川柳欄にあった。夏のオリンピックも延期された。安倍晋三首相は「人類が新型コロナウイルス感染症に打ち勝った証し」として来夏に成功させたいと語っている。その発言から、一つの言葉を連想する。

「これは複雑な戦いだ。勝利を告げるのは（調印式のような）儀式ではなく、安全（を得た）という感覚だ」。いわゆる対テロ戦争について、かつて米国のラムズフェルド国防長官が述べていた。テロと疫病は違うけれど、現下の状況にもあてはまる。

世界の人があまねく安全・安心を得たという実感こそが、来夏の東京五輪が祝福の中で開かれる必須の要件になるだろう。その日はいつ来るか。今は互いの命と生活を守り合う意志を、分かち持つときだ。

他人同士が目に角《かど》を立てず、利己心を押し包んで生きていくことは、平凡なようで難しい。ひとたび世情が不穏になれば笑みは消え、互いの感情は険しくなる。

マスク不足にいらだち毒づく客を、ドラッグストアの店員さんは「ウイルスよりも人が怖い」と嘆く。マスクがないから、他のものもなくなりはしないかと疑心が暗鬼を生む。トイレ紙でも食料品でも、空っぽになった棚には人をパニックに引き込む「魔」とでもいうべき不気味さがある。自戒をこめながら、人の心のもろさに思いをめぐらす。

昭和映画の名匠、小津安二郎のこんな話がふと頭に浮かぶ。戦時中、軍の指示で映画を撮りにシンガポールに渡った小津とスタッフ約二〇人は、敗戦によって他の日本人とともに収容所に入れられた。銃殺だ強制労働だとうわさが飛び交う中、ようやく日本からの引き揚げ船が着いた。だが全員は乗れない。クジを引いた。小津は当たったが外れた人が泣いていた。そのとき小津は

「おれはあとでいいよ」と言って乗船を譲ったという。

時代おくれの美談だろうか。そうは思わない。こういう日々こそ「自分さえ」でなく他者を想像したい。外出自粛も未知の他者との目に見えない助け合いだ。

「カドメイアの勝利」ということわざはギリシャ神話に由来する。勝つには勝ったが負けたのに等しい打撃をこうむる。そんな勝ち方のことをいう。

いま起きつつある経済への痛手は深刻だ。リーマン・ショックどころか一九二九年にはじまった世界恐慌に並ぶとの予測もある。ウイルスは封じても、刺し違えるように多くの人が倒産や失業、困窮の波間に沈んでしまう恐怖が、日本中を暗く覆う。「カドメイアの勝利」におびえるのは立場の弱い人たちだ。

「危機のリーダー」を意識してのことだろう。安倍首相は緊急事態宣言後のスピーチで、世界恐慌のさなかに就任したフランクリン・ルーズベルト元米大統領の名高い「恐れるべき唯一のものは、恐れそのものだ」のくだりを借用していた。

それはそれでいい。だが対策が失敗した場合の責任を問われると、「責任を取ればいいというものではない」と地金が出た。借用した重厚な言葉との落差に当人はお気づきだっただろうか。

首相の言葉がしばしば誠意の裏打ちを欠くことを多くの人は知る。その自省なしに「信」は生じまい。ちなみに今日はルーズベルトが七五年前の終戦の年に在職のまま死去した日。希望をかかげる資質において群を抜いた人物だったという。

（2020・4・12）

ルーズベルトの就任演説では、「恐れるべき唯一のものは……」の言葉より国民に歓呼された一節があった。それは「私は危機に対処するために、残されている手段を議会に対して求めるであろう。すなわち、外敵が実際に侵攻した場合に私に与えられる権限と同程度の、緊急事態に対する戦争遂行のための包括的行政権限である」のくだりだったという。つまり、大恐慌を克服するために戦時なみの強権を振るう用意が私にはある、という意味合いだ。この言葉の強さが、コロナ禍でも見られたような、不安にかられる人々が政治に強い統率や介入を求める心理に響いたのだろう。聡明で知られた大統領の妻エレノアは、国民のそうした反応を「ちょっと恐ろしい」と考えたらしい。欧州に台頭する全体主義が頭をかすめたのかもしれない。

後ずさりで未来へ進むコロナの冬

年があらたまって使い始めるカレンダーを「初暦《はつごよみ》」と呼ぶ。今年はどんな年になるのだろう。暦に並んでいる一日一日を私たちは迎え入れて、未来から過去へと歳月は流れていく。

〈初暦知らぬ月日は美しく〉

大正から昭和の人気作家、吉屋信子のよく知られた俳句である。夢見るような感傷にも誘われるし、計り知れない淵をのぞきこむような畏《おそ》れも感じさせる。

暦に並ぶ数字は、誰にとっても等しく「まだ知らぬ月日」である。知らないからこそ、まっさらで美しい。しかしその美しさは一方で、「知らないだけ」という空恐ろしさを秘めてもいる。

調べてみると、吉屋は昭和二四(一九四九)年の暮れに、新春のラジオ放送用に先の句を詠んだようだ。ところが年が明けて間もなく母親を亡くす。

〈母の逝く日は知らざりし初暦〉

これは母堂の死に際して詠まれた。二つの句を併せて読むとき、「知らぬ月日は美しく」という浪漫的な詩句はたちまちある種の凄《すご》みを帯びてくる。去年、二〇二〇年はそれを痛切に思わせる年となった。誰がこのような「途方もない禍《わざわい》」を知り得ただろうか。

朝日新聞紙面では一月八日に中国・武漢での原因不明の肺炎を伝える小さな記事が載った（東京本社版）。以来、楽観論をことごとく退けてコロナ禍は広がり、記事から一年後、首都圏は二度目の緊急事態宣言という深刻な事態に陥った。

新型コロナウイルスのパンデミック（世界的大流行）は人間の文明をレントゲンにかけている、というのはイタリアの作家パオロ・ジョルダーノ氏の絶妙なたとえだった。

連想するのは「疾風に勁草《けいそう》を知る」の故事だ。激しい風が吹いたときこそどの草が強いか分かるという意味だが、風は反対に弱い草もあぶりだす。弱かった草の一つが「一強」などといわれていた日本の政治だった。

首相は代わったが、政治が新調されたわけではない。「肝いり」やら「首相案件」やら、官邸（首相）好みのテーマはどんどん進むが、そうではない課題の動きはきわめて鈍い。今なら前者は携帯料金やハンコやデジタルであろう。後者は、あれほど危ぶまれていた「コロナの冬」への地道な備えと対応ではなかったか。

一一月から一二月には「勝負の三週間」なるスローガンを踊らせながら、菅首相が肩入れする「ＧｏＴｏ事業」は続けた。これもその種のいびつな悪手だろう。

無策への不評が高まる中、国民には五人以上の会食自粛を呼びかけながら首相が八人でステーキの卓を囲んでいたことが明らかにもなった。自分たちは特別と言わんばかりだと批判を浴びたのは当然だった。不誠実の残像はいまだに根強い。

今のような日々こそ「自分は」でなく他者を想像すべきなのだ。会食の自粛も遠出の取りやめも、身近な人、ひいては未知の他者との、互いの目には見えない助け合いだ。我が身を守らなくてはならないのは、他者を守るためでもある。

緊急事態宣言が効果を上げるには利他や連帯の意識が欠かせない。それらを社会にもたらすのは、信頼感や言葉の力といった一国のリーダーの器量次第といっていい。

冒頭に戻れば、吉屋の俳句から連想するのは「我々は未来に後退《あとずさ》りして進んでいく」というフランスの文人ポール・ヴァレリーの言葉である(吉田健一訳)。前が見えないまま進むという皮肉な真実だ。しかし感染症のパンデミックについて、「起きるかどうかが問題なのではない。いつ起きるかが問題なのだ」と多くの専門家がかねて警鐘を鳴らしていたと聞けば、事ここに至るまで甘かった危機意識を自問せざるをえない。

それは自然災害への戒《いまし》めでもあろう。今月一七日は阪神淡路大震災、三月一一日は東日本大震災――災害列島ともいわれるこの国の暦には、一年のどの日にも、大小の爪痕《つめあと》と人々の涙が刻まれている。あたりまえの月日の尊さと、昨日までの無事が今日の安全を保証してくれないことを忘れずにいたい。

一年経って今年の暦が役目を終えるとき、コロナ禍の世界はどうなっているのだろう。「後ずさりで未来へ進む我々」は、その間に何を学び、何を汲み取るのだろう。光を早く、見たいと思う。

（2021・1・10）

パオロ・ジョルダーノ氏の『コロナの時代の僕ら』（飯田亮介訳）はパンデミックのごく初期に書かれたエッセーだが、いま読み返しても洞察の深さに感じ入る。たとえば「こうした感染症の流行に際しては、僕らのすること・しないことが、もはや自分だけの話ではなくなるのだ」。あるいは「僕らは自然に対して自分たちの時間を押しつけることに慣れており、その逆には慣れていない。だから流行があと一週間で終息し、日常が戻ってくることを要求する」「日常が不意に、僕たちの所有する財産のうちでもっとも神聖なものと化したわけだが、これまで僕らはそこまで日常を大切にしてこなかったし、……そのなんたるかもよく知らない」。そして騒ぎが過ぎれば何事もなかったように忘却されてしまうことを、ジョルダーノ氏は恐れる。

私の中の「マスク風紀委員」

福島県郡山《こおりやま》市で刊行されている児童詩誌『青い窓』は一九五八(昭和三三)年に創刊された。ご縁があって隔月発行の冊子をいつも送っていただいている。開くたびに、子どもたちの豊かな詩心から潤《うるお》いをもらう心地になる。

作品だけでなく詩作をめぐる子どもたちの情景も心に残る。思い出されるのはこの詩誌を創始、主宰した詩人の故・佐藤浩さんによって伝えられた話だ。

ある小学校の四年生がこんな詩を書いた。

お母さんが　車に　はねられた／お母さんが　病院の　れいあんしつに　ねかされていた／お母さんを　かそうばへ　つれていった／お母さんが　ほねに　なってしまった／お母さんを　小さなはこに　いれた／お母さんを　ほとけさまに　おいた／お母さんを　まいにち　おがんでいる

詩を書いた子に、担任の先生は「お母さん」は最初に一回書けばいい、二回目からは要らないと指導した。だがその子は直そうとしない。どうしたものかと相談されて佐藤さんは答えたそうだ。「何回でも、百万遍でも、書かせてあげてください。詩の形を整える前に、その子の悲しみを分かち持って……」。そのようにして続いてきた詩誌だ。

毎号の末尾に小さく刷られている言葉がいい。

〈素晴らしい人間に出会うのではなく、人間の素晴らしさに出会う〉

パンデミックに抑え込まれて荒《すさ》みがちな心に、薬のように作用してくる。

きのう二月二〇日は小林多喜二《たきじ》の命日だった。『蟹工船《かにこうせん》』で知られるプロレタリア作家の官憲による拷問死は戦前昭和の暗い歴史だ。その生涯を描いた故・井上ひさしさんの戯曲『組曲虐殺』のセリフが、この一年に何度か胸に浮かんだ。

「絶望するには、いい人が多すぎる。希望を持つには、悪いやつが多すぎる」

多喜二の言葉はいささかきついが、コロナ禍に社会が軋《きし》みをあげる日々、このセリフのように振れる自分の心があった。

これまでの一波、二波、三波にわたる感染拡大のなか、医療従事者をはじめエッセンシャルワーカーと呼ばれる人たちの働く姿には、本当に頭が下がった。困窮する人に力添えをする市民の活動は今も絶えることがない。

一方で、ウイルスより人間が怖い、とも言われた。感染した人や、感染者の出た組織が誹謗中傷を浴び、自粛要請に応じず営業する店が嫌がらせを受けた。少なからぬ人が自分のモノサシで

「正しさの警棒」を振りかざす事態に恐れさえ覚えたものだ。

あれこれと眉をひそめたくなる言動が伝えられるなか、人間の性《さが》を嘆きつつ街へ出れば、ノーマスクや鼻出しマスクに感情を尖らせる自分がいた。まさに、人間とは自分のごとき者なり。「自粛警察」はともかく「マスク風紀委員」くらいの資質は十分あるという気づきは、内なる全体主義への親和を感じさせて苦い味がした。

晴れやらない日々に、ふと思い出したのが『青い窓』の末尾の言葉だった。

人間誰しも善悪美醜をないまぜに生きている。互いに欠点だらけながら、誰の中にもある「人間の素晴らしさ」が作用し合って社会を進めていく。それでいいじゃないか——そう思うと体が軽くなりマスク風紀委員の影はいつしか薄れた。


この一年を振り返れば、私たちはずいぶん遠くまできた感慨がある。しかし先のことはまだわからない。第一次世界大戦が始まった夏、欧州の国々は、クリスマスには帰れるなどと甘い予測をならべて若者を戦地へ送った。戦火は四年に及んだ。

むろん疫病は戦争ではないけれど、巨大なものに小さな個々が否応《いやおう》なく巻き込まれていく類似はある。大人も追い詰められるが、より小さき存在が子どもたちだ。『青い窓』を編集発行する橋本陽子さんは「いつものことが、いつものようにできなくなっている屈託を、接する詩のなかに感じることがある」と言う。

この冬久しぶりに再読したケストナーの名作『飛ぶ教室』にこんな一行があった。「神かけて言うが、子どもの涙が大人の涙よりも小さいなんてことはなく、しばしばずっと重いものだ」(池内紀訳)

コロナゆえに心がしぼんでほしくないと、潤いをもらってきた大人が思う。

(2021・2・21)

『青い窓』を創始、主宰した佐藤浩さん(二〇〇八年没)は盲目の詩人だった。二〇代で失明したが、戦中は国民学校の代用教員を務め、そこで児童の詩との強烈な出会いがあった。四年生の女の子が書いた詩は、〈ゆんべ／おしっこにおきたら／かあちゃんが　ないていた／ランプ　つけっかい／と　きいたら／つけんな　といった／きっと／とうちゃんが　へいたいだから／みんな見でっから　なかねんだ……〉。父が兵隊に行ったが、母は人の見ているところでは泣かないのだと、暗闇での涙を知って子は思う。佐藤さんはこの詩を掲示板に張り出したことで問題となり、依願という形で国民学校を退職になったという。子どもは大人と同じように悩み悲しみ、大人以上にものを見ていることを、よく知っている人だったそうだ。ケストナーに通じるものを感じる。

人類はまだ若い、と答えるために

今年も桜が咲きはじめた。桜前線というのは計算上、時速二キロほどの歩みで北へ向かうそうだ。これからの季節、桜だけでなくコブシもツツジも、スミレほどの小さき花も、様々な花前線が、さざ波のように列島を通りすぎていく。

まど・みちおさんに「春の訪れ」という詩がある。

太陽がうたう…／小鳥たちが咲く…／花々が照らす…／と言えば少量の嘘と／少量の真実を伝えることになるが／もともと百万言が死力を尽くしたとて／「春の訪れ」に届くわけのものでもない

この人らしい自然への畏敬《いけい》を読みとることができる。しかし詩は後段で、自分たちが自然そのものでありながらそれを忘れている人間の「ことば」から、自然はもはや遠い存在なのだと、警句のような趣《おもむき》に転じる。ことばの誠実な職人であったご自身が、ひとりの現代人として感じたもどかしさだったかもしれない。

まどさんが憂えた人間の営みの、驚くような肥大ぶりを示す数字が、先頃また一つ伝えられた。

コンクリートやプラスチックなど地球上にある人工物の総重量が、同じ地球上の植物や動物などの総重量（生物量）を上回ったと推算する論文をイスラエルの研究チームが発表した。

二〇世紀初めには人工物量は生物量のわずか三％だったというから、この間の環境への負荷を思わずにはいられない。


古代ギリシャ人は地球が丸いことを知っていたそうだ。エラトステネスという人は地球の大きさを計算した。二つの町から仰ぐ夏至の太陽の角度の差から、全周を約四万六〇〇〇キロとはじいたという。実際には約四万キロだからかなり近い。

地球の大きさはむろん変わらない。一方で人間は増え続けてきた。「地球何個分」というたとえを近年よく聞く。とりわけ先進諸国は大量生産と大量消費に首まで漬かり、たとえば世界中の人が日本人なみの生活をしたら地球が二・八個分必要になると言われている。アメリカ人なみなら地球は五個要るそうだ。

これは、生活をまかなうのに必要な農地や森林や海を独自の面積単位で表す指標にもとづいている。発展途上の国々を含めて世界全体でならしても地球一・七個分が要るといい、計算上、私たちは地球を食いつぶしつつある。

かつて筆者が山あいの棚田を借りていたとき、つくづく土は働き者だと思ったものだ。猫の額ほどの田んぼながら秋には六〇キロの米がとれた。収穫のすんだ田は、秋日和に身を養うような風格を見せていた。土は人間だけでなく陸域のほとんどの動植物を養ってくれる。

土壌と呼ばれる、植物を育てることのできる「生きた土」は無尽蔵にも思える。だが地球上のすべてを集めても、地表にならして敷きつめると厚さは一八センチにしかならないという。手にすくって拝みたくなるほどの貴重品なのだ。

土だけでなく、あらゆるものの有限性を深刻に受け止めるときだろう。現実には地球はただ一個しかない。その一個が八〇億という人間を乗せて回っている。自分もその一員ながら、さぞ重かろうと心配しないではいられない。

太宰治に「ア、秋」という短編があって、ふと考えさせられるくだりがある。

「秋は、ずるい悪魔だ。夏のうちに全部、身支度をととのえて、せせら笑ってしゃがんでいる」

人類の未来について、わけ知り顔の悲観は言うまいと思う。しかし「滅びの悪魔」というものがあるなら、それは繁栄の極みのなかから不気味に育ち、夏を葬ってしまう秋のように、気づかれもせずにしゃがんでいるのかもしれない。

地球を使い捨てるかのようにして華やいできた我々である。胸に浮かぶのはいつも、茨木のり子さんの「問い」と題する一編の詩だ。

人類は

もうどうしようもない老いぼれでしょうか

それとも
まだとびきりの若さでしょうか
誰にも
答えられそうにない
問い
ものすべて始まりがあれば終りがある
わたしたちは
いまいったいどのあたり？

答えられない。しかしその「問い」を発する賢さが人間にはあるはずだ。人類はまだ若い――そう答えるためにも、未来に向けての英知がいまほど試されているときはないのだと思う。

（2021・3・14）

あとがき

古来、はかない命のたとえにされるのはカゲロウですが、新聞にも似たところがあります。けさ配達された新聞は、あしたになればもう「新聞紙」です。新聞が新聞でいられる時間は長くありません。世の中は慌ただしく、大きなニュースが飛び込めば一つ前のできごとはたちまち後景に退いていきます。他のメディアも相まって情報は刻々と上書きされ、忘れてはならないことまですぐ忘却されていく時の流れは、いよいよ速さを増しているようです。

そのうえ今は目先の愉楽や便利さに工夫が凝らされていて、不正義や不公正があっても怒りはいっときの感情にとどまりがちです。そうした中でニュースコラム欄というのは、せわしない紙面上につくられた、いわば小さな港かもしれません。読む人がふっと錨《いかり》をおろして、考えを深めたり、想像をめぐらせたりする。そうした一刻を提供することで、忘れてはならないことを少しでも記憶にとどめてもらえれば——そう思って書いた文章が本書にはいくつもあります。

政治がらみの話が多いのは、私たちが日々の暮らしを立てていくうえで、政治ほど良くも悪くも支配力を振るうものは他にないからです。恃《たの》みにされるべき存在であるにもかかわらず、実際には誠実を欠くその落差が、少なからぬ人をいらだたせてきた歳月だったと思っています。

わたしにとっては天声人語の先達、深代惇郎《ふかしろじゅんろう》の残した一節を思い出すことの多い歳月でもありました。天声人語の筆を執《と》る直前の、ロンドン特派員時代のエッセーから引きます。

「聞きづらい、いやな意見に耳を傾け、自分が納得する限りで修正しようというのは、ただ『多数』を誇示するよりは、はるかに自信の強い、健康な社会なのだ。さらにいえば、自分の考える『国益』が本当の『国益』であるためには、反対者の批判が不可欠だと信ずることは、この国(イギリスのこと)では、権力者に要求される最小限の誠実さだとみられている」

安倍政権、菅政権の約九年間にもっとも欠けていた「良心」といえるでしょう。慣れてはならぬものに「またか」と慣らされてしまわないことを、日々のささやかな構えとしたいものです。

さて、エッセーは随筆だがコラムは何と言えばいいのかと、ときどき人から聞かれます。そんなときには「雑文」ですと答えています。もともと「雑」という字は嫌いではありません。取り散らかって二束三文、軽くみられがちですが、雑貨、雑炊、雑木林、など身に沿った親しみを醸し出します。普段使いの言葉でシンプルに書くという心積もりの、それは投影でもあります。

本書の出版にあたって、新聞掲載時に支えてもらいました朝日新聞の同僚諸氏に深く感謝いたします。また、感想やご意見などをたくさん頂戴した読者のみなさまにも深謝に堪えません。そして、本来は「はかない命」である当コラムに目を留めてくださり、一冊の書にまとめて新たな生命を吹き込んでくださった岩波書店の大山美佐子さんに心より御礼を申し上げます。

二〇二一年一一月

福島申二

引用・参考文献

引用・参照順．＊がコラムの区切り．サブタイトルは省略したものもある．重複する文献は初出のみ掲出．作品によっては，全集，著作集，文庫など様々な版で読めるが，筆者が参照したものを参考として掲げる．

I　歴史から汲む

＊「おお友よ，その調べにあらず！」『ヘルマン・ヘッセ エッセイ全集 第8巻』臨川書店，2010年

「平和」『ヘルマン・ヘッセ全集 第16巻』臨川書店，2007年

高橋健二『ヘルマン・ヘッセ――危機の詩人』新潮選書，1974年

エマニュエル・トッド『シャルリとは誰か？』堀茂樹訳，文春新書，2016年

＊ヨシフ・ブロツキイ『私人』沼野充義訳，群像社，1996年

本田創造『アメリカ黒人の歴史 新版』岩波新書，1991年

ヨシコ・ウチダ『荒野に追われた人々――戦時下日系米人家族の記録』波多野和夫訳，岩波書店，1985年

＊城山三郎『支店長の曲り角』講談社，1992年

井上紀子『城山三郎が娘に語った戦争』朝日新聞社，2007年

城山三郎『対談集 失われた志』文藝春秋，1997年

城山三郎『指揮官たちの特攻』新潮文庫，2004年

佐藤俊樹『桜が創った「日本」』岩波新書，2005年

＊『チャップリン自伝』中野好夫訳，新潮社，1966年

大野裕之『チャップリンとヒトラー』岩波書店，2015年

晴山陽一編著『名言の森――心に響く千人千句』東京堂出版，2011年

＊神田忙人『江戸川柳を楽しむ』朝日選書，1989年

東野大八『川柳の群像――明治・大正・昭和の川柳作家一〇〇人』田辺聖子編，集英社，2004年

楜沢健『だから，鶴彬――抵抗する17文字』春陽堂書店，2011年

『アンソロジー・プロレタリア文学③ 戦争――逆らう皇軍兵士』楜沢健編，森話社，2015年

むのたけじ『詞集たいまつ――人間に関する断章604』三省堂新書，1967年

＊開高健「開口閉口 またまたまた入る・ヒトラーか」『開高健全集 第21巻』新潮社，1993年

小池民男『時の墓碑銘』朝日新聞社，2006年

＊シェリー『フランケンシュタイン』小林章夫訳，光文社古典新訳文庫，2010年

夏目漱石『行人』新潮文庫，1952年

小野俊太郎『フランケンシュタイン・コンプレックス』青草書房，2009年

引用・参考文献

『アインシュタインは語る 増補新版』アリス・カラプリス編，林一・林大訳，大月書店，2006 年
『《医》をめぐる言葉の辞典』ジョン・デインティスほか編，長野敬訳，青土社，1993 年
＊司馬遼太郎『坂の上の雲（一）』文春文庫，1978 年
『琉球漢詩の旅』上里賢一選・訳，琉球新報社，2001 年
比屋根照夫『近代沖縄の精神史』社会評論社，1996 年
翁長雄志『戦う民意』KADOKAWA，2015 年
＊『渡邊白泉全句集』三橋敏雄編，沖積舎，1984 年
＊ヴィクトール・クレムペラー『第三帝国の言語』羽田洋ほか訳，法政大学出版局，1974 年

Ⅱ　虚と実のゆらぐ世界

＊ジェームス・レストン『新聞と政治の対決』名倉禮子訳，鹿島研究所出版会，1967 年
ジェイムズ・レストン『アメリカ，アメリカよ』河合伸訳，河出書房新社，1989 年
エリック・ホッファー『魂の錬金術』中本義彦訳，作品社，2003 年
＊ M・ハーシュ・ゴールドバーグ『世界ウソ読本』岩瀬孝雄訳，文春文庫，1996 年
エルナンド・コロン『コロンブス提督伝』吉井善作訳，朝日新聞社，1992 年
S・E・モリスン『大航海者コロンブス』荒このみ訳，原書房，1992 年
ジョージ・オーウェル『一九八四年』高橋和久訳，早川書房，2009 年
『自選 谷川俊太郎詩集』岩波文庫，2013 年
＊河盛好蔵『エスプリとユーモア』岩波新書，1969 年
＊池澤夏樹「終わりと始まり ピカソの作品に思う」『朝日新聞』2015 年 11 月 10 日夕刊，『終わりと始まり 2.0』朝日新聞出版，2018 年
加藤周一「夕陽妄語 嘘について」『朝日新聞』2000 年 6 月 22 日夕刊，『夕陽妄語 VI』朝日新聞社，2001 年
マデレーン・オルブライト『ファシズム』白川貴子・高取芳彦訳，みすず書房，2020 年
イアン・カーショー『ヒトラー 下』福永美和子訳，白水社，2016 年
＊内田樹「公人としての適正，敵を含む集団を代表する覚悟を」『アエラ』2013 年 7 月 8 日
『川柳全集 9 前田雀郎』構造社出版，1981 年
花森安治『灯をともす言葉』河出書房新社，2013 年
花森安治『一戔五厘の旗』暮しの手帖社，1971 年
＊「十二夜」『シェイクスピア全集 II』小田島雄志訳，白水社，1974 年
西野義彰『シェイクスピア劇の道化』英宝社，2014 年

オルテガ・イ・ガセット『大衆の反逆』神吉敬三訳，ちくま学芸文庫，1995年
*「思出の記」『日本現代文学全集 17 徳冨蘆花集』講談社，1980年
『万葉集（二)』岩波文庫，2013年
丸谷才一「袖のボタン 政治と言葉」『朝日新聞』2006年10月3日，『袖のボタン』朝日新聞社，2007年
『梶谷和恵詩集 朝やけ』コールサック社，2019年
「断片16」『萩原恭次郎全集 第1巻』静地社，1980年
*『フランクル著作集1 夜と霧』霜山徳爾訳，みすず書房，1961年
ハンナ・アーレント『イェルサレムのアイヒマン』大久保和郎訳，みすず書房，1969年
内田満『政治の品位』東信堂，2007年
*エーリヒ・ケストナー「焚書について」『大きなケストナーの本』シルヴィア・リスト編，丘沢静也ほか訳，マガジンハウス，1995年
河合秀和『クレメント・アトリー』中公選書，2020年
*長谷川四郎『さまざまな歌——詩集・訳詩集』思潮社，1965年
沼野充義『世界文学論——徹夜の塊3』作品社，2020年
*三島由紀夫『文章読本』中央公論社，1959年
ジョージ・オーウェル「政治と英語」『オーウェル評論集2』川端康雄編，平凡社ライブラリー，2009年
鶴見俊輔『象の消えた動物園』編集工房ノア，2011年

Ⅲ 抵抗への意思と勇気
*大城立裕『カクテル・パーティー』岩波現代文庫，2011年
船越義彰「辺土岬にて」『沖縄文学全集 第2巻 詩II』国書刊行会，1991年
*『定本 竹山広全歌集』ながらみ書房，2014年
『茨木のり子集 言の葉2』ちくま文庫，2010年
*大谷渡『北村兼子——炎のジャーナリスト』東方出版，1999年
ミヒャエル・エンデ『エンデのメモ箱』田村都志夫訳，岩波現代文庫，2013年
*ヴァージニア・ウルフ『自分ひとりの部屋』片山亜紀訳，平凡社ライブラリー，2015年
北村兼子『婦人記者廃業記』大空社，1992年
ロベルト・L・ケルチェターニ『近代陸上競技の歴史』ベースボール・マガジン社，1992年
*「迷える小鳥」『タゴール著作集 第1巻 詩集I』藤原定ほか訳，第三文明社，1981年
猿谷要『アメリカ黒人解放史』二玄社，2009年
益子務『ゴスペルの暗号』祥伝社，2010年
ジェームス・M・バーダマン『アメリカ黒人の歴史』森本豊富訳，NHKブックス，2011年

ストウ『世界文学の玉手箱⑪ アンクル・トムの小屋』丸谷才一訳，河出書房新社，1993年
＊H・D・ソロー『森の生活 上下』飯田実訳，岩波文庫，1995年
H・D・ソロー『市民の反抗 他五篇』飯田実訳，岩波文庫，1997年
鶴見俊輔「いくつもの太鼓のあいだにもっと見事な調和を」『世界』1960年8月号
中野孝次『人生を励ます言葉』講談社現代新書，1988年
『茨木のり子詩集』岩波文庫，2014年
＊劉暁波ほか『「私には敵はいない」の思想――中国民主化闘争二十余年』藤原書店，2011年
加藤善夫『カール・フォン・オシエツキーの生涯』晃洋書房，1996年
堤佳辰『ノーベル平和賞――90年の軌跡と受賞者群像』河合出版，1990年
＊本田創造『アメリカ黒人の歴史 新版』岩波新書，1991年
『ラングストン・ヒューズ詩集』木島始訳，思潮社，1993年
アール・ウォーレン『ウォーレン回想録』森田幸夫訳，彩流社，1986年
＊川崎洋『ほほえみにはほほえみ』童話屋，1998年
スーザン・ソンタグ『他者の苦痛へのまなざし』北條文緒訳，みすず書房，2003年
「風」『新編 石川逸子詩集』土曜美術社，2014年
アラン『裁かれた戦争』白井成雄訳，小沢書店，1986年
海老坂武『戦争文化と愛国心』みすず書房，2018年
＊中村哲，澤地久枝(聞き手)『人は愛するに足り，真心は信ずるに足る――アフガンとの約束』岩波書店，2010年
フェルナンド・ペソア『不穏の書，断章』澤田直訳，平凡社ライブラリー，2013年
モフセン・マフマルバフ『アフガニスタンの仏像は破壊されたのではない 恥辱のあまり崩れ落ちたのだ』武井みゆきほか訳，現代企画室，2001年

Ⅳ　戦争は人間のしわざ
＊『宇多喜代子句集 記憶』角川学芸出版，2011年
『街を焼かれて――戦災40周年 徳山空襲の証言』徳山の空襲を語り継ぐ会，1985年
郭沫若「惨目吟――惨状を目にうめく」『大空襲三一〇人詩集』鈴木比佐雄ほか編，コールサック社，2009年
ロバート・M・ニーア『ナパーム空爆史』田口俊樹訳，太田出版，2016年
イェルク・フリードリヒ『ドイツを焼いた戦略爆撃』香月恵里訳，みすず書房，2011年
田中利幸『空の戦争史』講談社現代新書，2008年
＊エドワード・G・サイデンステッカー『谷中，花と墓地』みすず書房，2008年
ロナルド・シェイファー『アメリカの日本空襲にモラルはあったか』深田民生訳，

草思社，1996 年
早乙女勝元『図説 東京大空襲』河出書房新社，2003 年
大前治『「逃げるな，火を消せ！」戦時下トンデモ「防空法」』合同出版，2016 年
前田哲男『戦略爆撃の思想』朝日新聞社，1988 年
清沢洌『暗黒日記』岩波文庫，1990 年
＊大岡昇平「捉まるまで」『俘虜記』新潮文庫，1967 年
ジョージ・オーウェル「スペイン戦争回顧」『オーウェル評論集 1』川端康雄編，平凡社ライブラリー，2009 年
『谷川俊太郎詩集』角川文庫，1968 年
デーヴ・グロスマン『戦争における「人殺し」の心理学』安原和見訳，ちくま学芸文庫，2004 年
＊ヴィスワヴァ・シンボルスカ『終わりと始まり』沼野充義訳，未知谷，1997 年
石原吉郎『望郷と海』みすず書房，2012 年
村山常雄『シベリアに逝きし人々を刻す――ソ連抑留中死亡者名簿』2007 年
村山常雄『シベリアに逝きし 46300 名を刻む――ソ連抑留死亡者名簿をつくる』七つ森書館，2009 年
俵万智『未来のサイズ』角川書店，2020 年
レマルク『西部戦線異状なし』秦豊吉訳，新潮文庫，1955 年
＊『証 失われた命を語り継いで』広島市立高等女学校・広島市立舟入高等学校同窓会，2005 年
『流燈 復刻版』広島市立高等女学校・広島市立舟入高等学校同窓会編，1994 年
『栗原貞子全詩篇』土曜美術社，2005 年
水田九八二郎『ヒロシマ・ナガサキへの旅――原爆の碑と遺跡が語る』中公文庫，1993 年
＊林京子『祭りの場・ギヤマン ビードロ』講談社文芸文庫，1988 年
カイ・バード，マーティン・シャーウィン『オッペンハイマー――「原爆の父」と呼ばれた男の栄光と悲劇 上下』河邉俊彦訳，PHP 研究所，2007 年
『「エスクァイヤ」アメリカの歴史を変えた 50 人 上』日本語版監修・常盤新平，新潮社，1988 年
林京子「トリニティからトリニティへ」『長い時間をかけた人間の経験』講談社文芸文庫，2005 年
＊ヘザー・ニューボルド編著『ライフ・ストーリーズ――最先端の科学者たちの地球・環境・生命そして未来への想い』浜本哲郎訳，シュプリンガー・フェアラーク東京，2001 年
ジョセフ・ロートブラット編著『科学者の役割――軍拡か軍縮か』黒沢満訳，西村書店，1986 年
＊山口彊『ヒロシマ・ナガサキ 二重被爆』朝日文庫，2009 年
「水・からす・少年少女」『林京子全集 第 7 巻』日本図書センター，2005 年

V　いのちの日々に

＊原田正純『金と水銀――私の水俣学ノート』講談社，2002 年
原田正純『宝子たち――胎児性水俣病に学んだ 50 年』弦書房，2009 年
勝海舟『氷川清話』講談社学術文庫，2000 年
小松裕『田中正造――未来を紡ぐ思想人』岩波現代文庫，2013 年
＊深代惇郎『続 深代惇郎の「天声人語」』朝日新聞社，1977 年
ミヒャエル・エンデ『エンデのメモ箱』田村都志夫訳，岩波現代文庫，2013 年
＊南木佳士『先生のあさがお』文藝春秋，2010 年
青木雨彦編著『会社万葉集』光文社，1989 年
幸田文「押しつまる」『草の花』講談社文芸文庫，1996 年
A・R・ホックシールド『管理される心』石川准ほか訳，世界思想社，2000 年
＊加藤剛『こんな美しい夜明け』岩波現代文庫，2008 年
『まど・みちお詩集 こんなにたしかに』理論社，2005 年
渡辺京二『逝きし世の面影』平凡社ライブラリー，2005 年
＊栗良平『一杯のかけそば』角川文庫，1992 年
千家元麿「三人の親子」『日本の詩歌 13』中央公論社，1969 年
金原亭馬生「わたしとおそば」『日本の名随筆 85 貧』小沢昭一編，作品社，1989 年
＊井上ひさし『日本語教室』新潮新書，2011 年
白井健策『「天声人語」の七年』河出書房新社，1996 年
＊『風貌・私の美学――土門拳エッセイ選』講談社文芸文庫，2008 年
『茨木のり子全詩集』花神社，2010 年
「お弁当」『精選女性随筆集十一 向田邦子』文藝春秋，2012 年
柳宗悦『蒐集物語』中公文庫，1989 年
『ラ・ロシュフコー箴言集』二宮フサ訳，岩波文庫，1989 年
＊「明日は天気になれ 桜の花ざかり」『坂口安吾全集 13』筑摩書房，1999 年
ジョン・A・ギャラティ『世界恐慌――前兆から結末まで』安部悦生訳，ティビーエス・ブリタニカ，1988 年
＊『吉屋信子全集 12』朝日新聞社，1976 年
パオロ・ジョルダーノ『コロナの時代の僕ら』飯田亮介訳，早川書房，2020 年
ポール・ヴァレリー『精神の政治学』吉田健一訳，中公文庫，2017 年
＊井上ひさし『組曲虐殺』集英社，2010 年
エーリヒ・ケストナー『飛ぶ教室』池内紀訳，新潮文庫，2014 年
横山静恵，鶴賀イチ『あなたは さとうひろし という一編の詩でした』歴史春秋出版，2018 年
＊大塚道男『地球を測る』朝日選書，1980 年
みなみかつゆき『18 cm の奇跡――「土」にまつわる恐るべき事実！』三五館，2015 年
『太宰治全集 3』ちくま文庫，1988 年

福島申二
元朝日新聞論説委員・編集委員.
1956年，三重県生まれ．1983年，朝日新聞社入社．社会部記者，ニューヨーク特派員などをへて2007年から2016年まで一面コラム「天声人語」を担当．その後2021年まで同紙コラム「日曜に想う」を執筆した.

日曜の言葉たち

2021年11月16日　第1刷発行

著　者　福島申二《ふくしましんじ》

発行者　坂本政謙

発行所　株式会社 岩波書店
〒101-8002 東京都千代田区一ツ橋2-5-5
電話案内 03-5210-4000
https://www.iwanami.co.jp/

印刷・三陽社　カバー・半七印刷　製本・松岳社

ISBN 978-4-00-061499-3　Printed in Japan